D0756493

Page de droite :
Moissac (Tarn-et-Garonne).
Une péniche sur le pont canal.

LE CANAL DU MIDI
ET LES VOIES NAVIGABLES
DE L'ATLANTIQUE À LA MÉDITERRANÉE

TEXTE
RENÉ GAST

PHOTOGRAPHIES
BRUNO BARBIER

Éditions Ouest-France

Sommaire

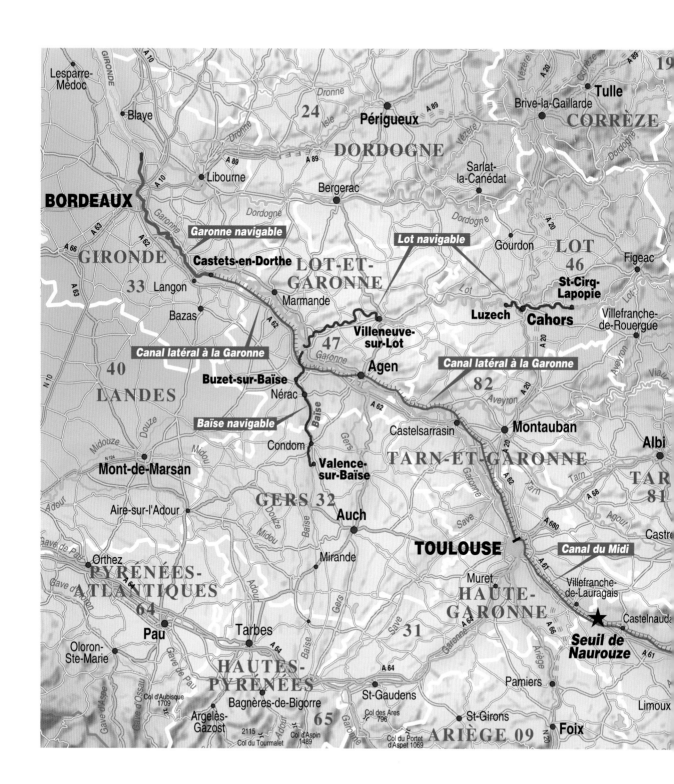

Lesparre-Médoc

Blaye

GIRONDE

Dronne

24

Isle

Périgueux

DORDOGNE

A 89

Vézère

A 20

Corrèze

A 89

19

Tulle

Brive-la-Gaillarde

CORRÈZE

BORDEAUX

Libourne

Bergerac

Dordogne

Sarlat-la-Canédat

Gourdon

A 20

LOT
46

Figeac

GIRONDE

33

Langon

Bazas

A 63

A 62

A 66

Garonne navigable

Castets-en-Dorthe

Garonne

LOT-ET-GARONNE

Marmande

47

Garonne

Lot navigable

Lot

Luzech

St-Cirq-Lapopie

Cahors

Villefranche-de-Rouergue

Aveyron

Viau

N 10

40

LANDES

Midouze

Douze

Canal latéral à la Garonne

A 62

Villeneuve-sur-Lot

Agen

Canal latéral à la Garonne

82

A 20

A 62

Albi

TAR
81

Mont-de-Marsan

Midou

Buzet-sur-Baïse

Nérac

Baïse

Gers

Baïse navigable

Condom

Valence-sur-Baïse

A 62

Castelsarrasin

TARN-ET-GARONNE

Garonne

Montauban

Aveyron

Tarn

Tarn

A 62

A 68

Castre

Adour

Midou

Douze

GERS 32

Baïse

Gers

Auch

Save

Agout

A 680

Aire-sur-l'Adour

Gave de Pau

Mirande

TOULOUSE

Muret

A 61

Canal du Midi

Villefranche-de-Lauragais

Castelnaud

Orthez

PYRÉNÉES-ATLANTIQUES

64

Gave d'Oloron

Pau

Gave de Pau

Tarbes

A 64

Baïse

HAUTE-GARONNE

31

Garonne

A 64

Seuil de Naurouze

A 61

A 66

Oloron-Ste-Marie

Gave d'Aspe

HAUTES-PYRÉNÉES

Col d'Aubisque
1709

Argelès-Gazost

2115
Col du Tourmalet

Col d'Aspin
1489

65

Bagnères-de-Bigorre

Garonne

A 64

St-Gaudens

Col des Ares
796

Col du Portet
d'Aspet 1069

Ariège

Save

ARIÈGE 09

Pamiers

St-Girons

Foix

N 20

Limoux

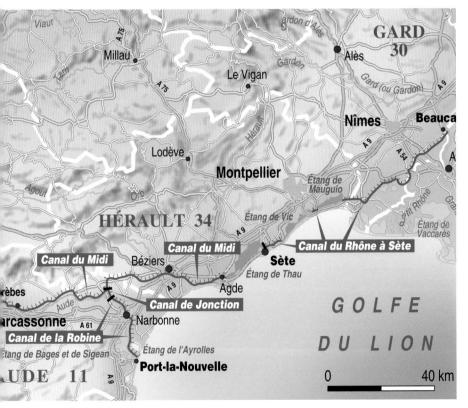

36 Toulouse
Les Ecluses des Minimes

Edition. L. O. Boyer. Toulouse

GAT CLUB
VICTORY

278. - AGEN. - Sur le Pont-Canal

Introduction

Ce siècle fasciné par la vitesse et assourdi par le bruit a bien failli les condamner aux oubliettes de notre mémoire. Canaux mourants, rivières abandonnées... il y a peu encore, comme elles semblaient anachroniques, ces routes liquides où la lenteur est un mode de vie et le silence une vertu. Mais il existe d'autres soifs de découvertes que celles étanchées par les autoroutes, les avions et le TGV. Il n'y a d'authentique « ailleurs » que pour ceux qui savent laisser son temps au regard, son temps à l'émotion, son temps au temps... Voilà ce qu'offre, d'écluse en écluse, la paix des « chemins du silence »... De plus en plus nombreux sont ceux qui l'ont compris. Ils contribuent à faire renaître les canaux et les rivières. La vraie « modernité » est peut-être là, dans la réconciliation avec un autre rythme, celui de ce passé oublié où le voyage se comptait, non en kilomètres parcourus, mais en journées, en semaines ou en mois...

Portrait de Riquet.
Toulouse, musée
Paul-Dupuy.
Inv. n° D.61.6.29.
Cliché STC.

Histoire d'un chef-d'œuvre

Auguste, Néron, Charlemagne, François I⁻, Henri IV, Louis XIII... tous en ont rêvé, aucun n'a pu faire aboutir la moindre esquisse de projet... Relier la Méditerranée à l'Atlantique par un « chemin d'eau » constitué d'un canal et de rivières navigables – ou rendues navigables – a été, de l'Antiquité aux Temps modernes, une idée que la raison commandait, mais que les réalités techniques et financières ont longtemps interdite...

En effet, comment, d'une part, ne pas vouloir éviter aux navires le long et périlleux contournement de la péninsule Ibérique – près de 3 000 kilomètres – dans des mers hantées par les pirates barbaresques, et dont certaines, comme le golfe de Gascogne, comptent parmi les plus dangereuses du monde ? Comment ne pas désirer échapper aux contraintes des transports routiers – lents, difficiles, soumis au brigandage, et n'autorisant que des charges légères – pour leur préférer les transports par voie d'eau, plus rapides, plus sûrs, plus économiques et surtout plus efficaces, puisqu'un cheval halant un bateau peut tracter cent vingt fois son poids, contre deux fois s'il est attelé à un véhicule terrestre... ?

Page de gauche :
Statue de Paul Riquet à Toulouse.

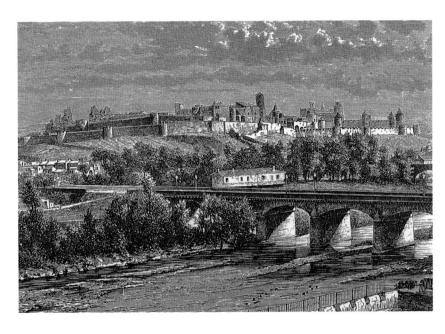

Gravure de Carcassonne (fin du XIXᵉ siècle).

Le canal du Midi au Seuil de Naurouze, point culminant entre l'Atlantique et la Méditerranée.

Mais, d'autre part, comment canaliser les rivières qui dévalent des Pyrénées et du Massif central et qui ne sont souvent que des torrents aux crues dévastatrices ? Comment franchir la ligne de partage des eaux, située à près de 190 mètres d'altitude ? Comment alimenter de façon régulière en eau un canal traversant des régions souvent frappées par de longues sécheresses ? Plus encore que le coût d'un tel ouvrage, ce sont les difficultés techniques, et notamment l'alimentation en eau du canal, qui pendant presque

Le canal du Midi au niveau du boulevard de Monplaisir à Toulouse.

deux mille ans s'opposèrent aux rêves de quelques-uns des monarques les plus puissants de l'univers.

Dès le début du règne de Louis XIV, le problème de la liaison Atlantique-Méditerranée redevient un souci majeur. Reprenant en partie la politique déjà menée par Richelieu, Colbert veut faire de la France un pays centralisé, ce qui implique un renforcement des moyens de communication, donc la construction de ports, de routes et de canaux. Raccourcir les distances, diminuer la durée des transports, c'est rap-

procher dans le temps et dans l'espace les grandes régions de production agricole et manufacturière – dont font partie le Languedoc et l'Aquitaine –, par conséquent favoriser d'une part leur essor, renforcer d'autre part le pouvoir royal dans des provinces éloignées et souvent indociles. À ces motifs économiques et politiques s'ajoutent des arrière-pensées stratégiques : développer les voies de transport maritime et terrestre permettra de donner à la France un rôle central en Europe et de lutter contre la puissance des marines hollandaise et anglaise. On voit à quel point la relance du projet d'un canal des Deux Mers s'inscrivait bien dans la logique colbertiste : activité accrue pour le port de Bordeaux, désenclavement de Toulouse, accroissement des échanges commerciaux des produits agricoles du Lauragais vers le bassin méditerranéen, réactivation des ports de la Méditerranée orientale – Aigues-Mortes et Agde, gagnés par les sables, ne jouaient plus aucun rôle, l'accès à Frontignan, pour la même raison, était interdit aux navires de fort tonnage, les installations portuaires de Sète, entreprises sous le règne d'Henri IV, avaient été abandonnées faute de moyens – et enfin, isolement de l'adversaire espagnol, qui serait ainsi privé d'une partie des recettes du trafic maritime transitant par le détroit de Gibraltar.

La volonté existait. Restait à résoudre les problèmes techniques sur lesquels avaient buté pendant près de vingt siècles les meilleurs ingénieurs, et à trouver comment financer un ouvrage pharaonique que des empires et des royaumes richissimes avaient estimé au-dessus de leurs moyens. C'est à un seul homme que l'on doit d'avoir trouvé toutes les clés, Pierre-Paul Riquet un

fonctionnaire certes de grade élevé, mais ni ingénieur ni hydrologue, dépourvu de tout diplôme, voire de tout bagage scolaire sérieux – à peine savait-il lire le latin en un temps où la maîtrise de cette langue était indispensable à un homme moyennement cultivé –, un petit notable provincial revendiquant sans preuve déterminante une très ancienne noblesse d'origine italienne, mais dont le grand atout, outre les extraordinaires qualités intellectuelles, humaines et mentales dont il fera preuve, est la fortune considérable héritée de son père, qu'il saura d'ailleurs faire fructifier sans trop s'embarrasser de scrupules, avant de l'engloutir dans l'œuvre de sa vie.

Le premier obstacle à l'établissement d'une voie d'eau continue entre l'Atlantique et la Méditerranée était l'irrégularité des rivières – l'Aude et l'Ariège en particulier – susceptibles d'être reliées à la Garonne, et l'impossibilité due à leur faible navigabilité d'y assurer un trafic permanent. Mais le problème le plus sérieux était celui du franchissement du seuil de Naurouze, point culminant du corridor de plaines courant entre les Pyrénées et le Massif central, et où n'existe aucune rivière assez abondante pour alimenter un canal en eau. Tous les projets antérieurs – liaison Aude-Garonne sous

Carte pour le canal de communication des mers Océane et Méditerranéenne en Languedoc, 1664
Toulouse, musée Paul-Dupuy
Inv. n° 711. Cliché STC.

Pont de pierre dans la région de Carcassonne.

Le génie des Deux Mers

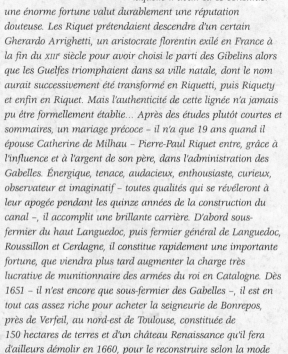

Portrait de Riquet.
Toulouse, musée Paul-Dupuy.
Inv. n° D.61.6.29. Cliché STC.

Pierre-Paul Riquet est né à Béziers à une date incertaine, peut-être en 1604, plus vraisemblablement en 1609, puisque son acte de décès – il est mort en 1680 – lui attribue l'âge de 71 ans. Il était le fils aîné de Guillaume Riquet, notaire, puis procureur à Béziers, mais surtout homme d'affaires, à qui la rapidité avec laquelle il avait su se constituer une énorme fortune valut durablement une réputation douteuse. Les Riquet prétendaient descendre d'un certain Gherardo Arrighetti, un aristocrate florentin exilé en France à la fin du XIIIᵉ siècle pour avoir choisi le parti des Gibelins alors que les Guelfes triomphaient dans sa ville natale, dont le nom aurait successivement été transformé en Riquetti, puis Riquety et enfin en Riquet. Mais l'authenticité de cette lignée n'a jamais pu être formellement établie… Après des études plutôt courtes et sommaires, un mariage précoce – il n'a que 19 ans quand il épouse Catherine de Milhau – Pierre-Paul Riquet entre, grâce à l'influence et à l'argent de son père, dans l'administration des Gabelles. Énergique, tenace, audacieux, enthousiaste, curieux, observateur et imaginatif – toutes qualités qui se révéleront à leur apogée pendant les quinze années de la construction du canal –, il accomplit une brillante carrière. D'abord sous-fermier du haut Languedoc, puis fermier général de Languedoc, Roussillon et Cerdagne, il constitue rapidement une importante fortune, que viendra plus tard augmenter la charge très lucrative de munitionnaire des armées du roi en Catalogne. Dès 1651 – il n'est encore que sous-fermier des Gabelles –, il est en tout cas assez riche pour acheter la seigneurie de Bonrepos, près de Verfeil, au nord-est de Toulouse, constituée de 150 hectares de terres et d'un château Renaissance qu'il fera d'ailleurs démolir en 1660, pour le reconstruire selon la mode architecturale de l'époque. Comment l'idée de reprendre le très ancien projet de liaison entre les Deux Mers s'est-elle emparée de lui, au point de l'inciter à y risquer sa fortune et celle de ses descendants ? Nul ne le sait… À peine peut-on avancer quelques amorces d'explication. Il a souvent été amené à parcourir la Montagne Noire, aussi bien parce qu'il possédait des terres près de Revel que pour collecter la gabelle. Peut-être est-ce au cours de l'une de ces nombreuses randonnées que l'idée d'utiliser les eaux des rivières qui sillonnent ses pentes pour les amener à Naurouze a un jour jailli pour ne plus le quitter, et devenir l'obsession d'une vie… Peut-être faut-il voir dans son désir de réaliser une œuvre jusqu'alors considérée comme impossible une soif de revanche sociale que sa fortune n'avait pas réussi à étancher, et que seule la reconnaissance des prétentions familiales à la noblesse pouvait satisfaire… Si Riquet n'a jamais connu l'achèvement de son œuvre – à 4 kilomètres et 6 mois près – et s'il n'a laissé à ses héritiers qu'une fortune en miettes et des dettes colossales, au moins a-t-il su, au moment de sa mort, que son génie était désormais salué bien au-delà des frontières du royaume. Quant à sa revendication de toujours, transmise par son père, de réhabiliter la noblesse de sa lignée, elle fut acceptée par Louis XIV dès 1666 : «… pour traiter favorablement ledit Riquet (…) sadite majesté (…) l'a déclaré et déclare noble (…) sans qu'il puisse être censé ni réputé nouveau noble. »

Riquet expose son projet au commissaire du Roi. Toulouse, musée Paul-Dupuy. Inv. n° D.53.10.95. Cliché STC.

Obélisque de Paul Riquet au Seuil de Naurouze.

Bassin de Saint-Ferréol.
Toulouse, musée Paul-Dupuy.
Inv. n° 55.1.187. Cliché STC.

François Iᵉʳ, Aude-Ariège sous Henri IV – s'étaient heurtés à ces deux difficultés, la seconde ayant même fini par être jugée insurmontable.

Le coup de génie de Riquet est d'avoir su trouver les solutions des deux problèmes. Les caprices de l'Aude sont un handicap pour la régularité du trafic ? On renoncera à l'utiliser comme voie navigable, et le canal sera creusé jusqu'à la Méditerranée... Nulle rivière proche de la ligne de partage des eaux ne peut assurer l'alimentation du canal ? On captera les cours d'eau qui dévalent les pentes de la Montagne Noire pour les conduire à des réservoirs, et de là, par un réseau de « rigoles », au seuil de Naurouze... Ce dernier point était le plus délicat : si la théorie était séduisante, encore fallait-il vérifier sur place que ces torrents et ces ruisseaux pouvaient être détournés, rassemblés et fournir en toute saison le volume d'eau nécessaire. Accompagné d'un fontainier, Pierre Campmas, Riquet parcourt systématiquement le massif de la Montagne Noire, relève les cours d'eau qui par leur orientation et leur débit seront susceptibles d'être utilisés – parmi les principaux retenus, citons le Sor, le Laudot, le Rieutor, le Lampillon, le Lampy, la Bernassonne et l'Alzau – puis cartographie le tracé des futures rigoles et détermine l'emplacement de « magasins d'eau », dont il avait initialement prévu une quinzaine en chapelet le long de la rigole principale. Il se rangera plus tard à l'avis du chevalier de Clerville, l'un des experts chargés d'établir le devis du projet, qui suggérait la construction d'un seul et unique réservoir de grande dimension : ce sera le lac de Saint-Ferréol, qui, avec ses 64 hectares est la plus vaste retenue d'eau bâtie à l'époque de main d'homme. Pour contrôler la pertinence de ses idées, il ira jusqu'à faire creuser d'immenses bassins dans le parc de son château de Bonrepos, à les relier par un aqueduc, et à l'aide de maquettes, à se livrer à des vérifications expérimentales.

*Les abords du canal
dans la région de Preïssan.*

La jonction de l'Océan et de la Méditerranée (Colbert présente le plan du canal à Louis XIV)
Toulouse, musée Paul-Dupuy.
Inv. n° 4.537. Cliché STC.

Désormais convaincu de la viabilité du projet, et après avoir diplomatiquement recueilli l'approbation de personnages influents, comme l'archevêque de Toulouse, Riquet se décide à franchir le pas décisif : en 1662, il fait parvenir à Colbert un courrier « sur le sujet d'un canal qui pourrait se faire dans cette province du Languedoc pour la communication des Deux Mers ». Il y a à peine plus d'un an que Louis XIV a proclamé : « L'État, c'est moi », et Colbert vient de succéder à Fouquet. Le mémoire arrive au bon moment pour attirer l'attention d'un ministre soucieux de renforcer son pouvoir à travers celui de son roi, et d'un monarque désireux d'illustrer par de grands travaux l'éclat de son règne

commençant. Outre les motifs économiques, politiques et stratégiques déjà évoqués, ce sont les arguments techniques développés par Riquet qui suscitent l'intérêt de Colbert et de Louis XIV, puis emportent leur décision de soutenir le projet. Prudemment, ils vont tout d'abord confier à une commission le soin d'en examiner l'utilité économique et la faisabilité. Les expertises commencent dès janvier 1663 – ce délai extraordinairement court en dit beaucoup, autant sur l'ampleur de vue du roi et de son ministre que sur le pouvoir de conviction du mémoire de Riquet et sur l'efficacité de ses appuis dans la province – et les rapports favorables se succèdent. Avant de donner leur accord définitif, les commissaires vont cependant demander à Riquet de démontrer grandeur nature la justesse de sa théorie en faisant creuser une rigole d'essai entre la Montagne Noire et le seuil de Naurouze. L'ultime épreuve est franchie avec succès en octobre 1665 : Riquet, qui a payé de sa poche les 50 000 livres nécessaires aux travaux, peut désormais administrer la preuve matérielle que le problème de l'alimentation en eau du canal sur la ligne de partage est bel et bien résolu.

Restait le point crucial du financement d'un chantier qui promettait d'être le plus colossal du siècle. Le devis établi pour la première tranche des travaux, une centaine de kilomètres entre Toulouse et Trèbes, appelée « première entreprise », s'élevait à 3 630 000 livres, un investissement que l'État, dont les caisses étaient qua-

Le pont d'Argeliers, dans la région de Narbonne.

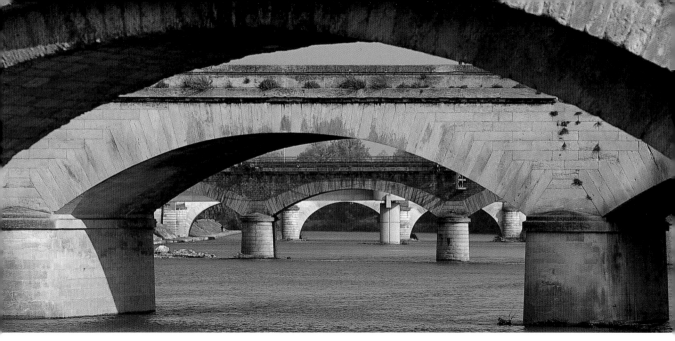

Les ponts de l'Orb, la rivière qui contourne la vieille ville de Béziers.

siment vides, ne pouvait assumer. C'est là que vont se révéler les autres qualités de Riquet. Ce visionnaire, cet autodidacte de génie, est aussi un financier hors pair. Le montage qu'il imagine aplanit le dernier obstacle : en échange du monopole des Fermes et Gabelles du Languedoc sur une durée de dix ans, et de l'érection en fief héréditaire du canal dont il deviendra le seigneur, avec droit de justice, de perception des péages, de construction et de vente de maisons, de magasins et d'entrepôts, il propose un partenariat, s'engageant à financer les travaux en partie sur ses fonds propres – l'État et la province fournissant le complément –, de les diriger et de les mener à leur terme. Le contrat semblait avantageux pour Riquet. Qui pourtant, entre les inévitables dépassements de devis, les continuels retards d'une Administration mau-

vaise payeuse et les emprunts à taux usuraires, passera le reste de sa vie à se battre contre les difficultés budgétaires, au point d'y engloutir toute sa fortune, soit environ 3 millions de livres, et de sacrifier jusqu'aux dots de ses filles... « J'ai fait un canal pour m'y noyer avec toute ma famille », dira-t-il dans un moment de désespoir. Et de fait, ses descendants, héritiers du fief, continueront de payer ses dettes – plus de 2 millions de livres – pendant près d'un demi-siècle, avant, il est vrai, que le canal ne commence à les enrichir prodigieusement...

En octobre 1666, un édit royal donnait l'ordre « qu'il soit incessamment procédé à la construction du canal de navigation et communication des deux mers Océane et Méditerranée (...) ». À 57 ans, Pierre-Paul Riquet pouvait entamer la réalisation du rêve de sa vie...

La cathédrale Saint-Nazaire et le Pont Vieux à Béziers.

Edit de construction du canal.
VNF - Direction Régionale
du Sud-Ouest - Archives
des Canaux du Midi.
Photo Jean-Luc Auriol.

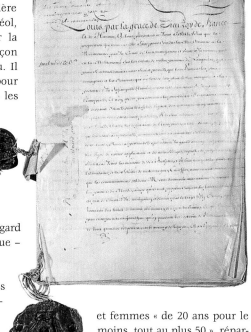

Les travaux, commencés le 15 avril 1667 par la pose de la première pierre de la retenue de Saint-Ferréol, s'achevèrent le 2 mai 1681 par la mise en eau du dernier tronçon débouchant dans l'étang de Thau. Il n'avait fallu que quinze ans pour mener à bien l'un des chantiers les plus titanesques du siècle... Mais jamais Riquet n'en verra l'aboutissement : quand il meurt le 1er octobre 1680, il restait moins de 4 kilomètres à creuser pour atteindre l'étang de Thau...

Cette étonnante rapidité, en regard des moyens techniques de l'époque – c'est à la pioche et la pelle que fut creusé le canal, ce qui représente 7 millions de mètres cubes de terre et de gravats déplacés – doit tout au sens exceptionnel de l'organisation dont fera preuve Riquet. Il lui fallait compter en effet avec une main-d'œuvre fluctuante, en partie constituée de paysans qui s'absentaient des chantiers au moment des moissons et des vendanges. Pour compenser cette désertion saisonnière, il sera amené à plusieurs reprises à faire appel à des réquisitions de soldats, avant d'imaginer de mensualiser les ouvriers pour les fidéliser. Au plus fort des travaux, à partir de 1670, on comptera jusqu'à 12 000 ouvriers, hommes et femmes « de 20 ans pour le moins, tout au plus 50 », répartis en « sections » de quarante, deux sections formant un « atelier », une unité de vingt-cinq ateliers étant dirigée par un « contrôleur général ». La rationalisation du travail est poussée à l'extrême : plusieurs chantiers sont simultanément menés de front, sur des sites parfois éloignés de plusieurs dizaines de kilomètres les uns des autres, ce qui implique un système de communications particulièrement performant. Entre autres exemples, la

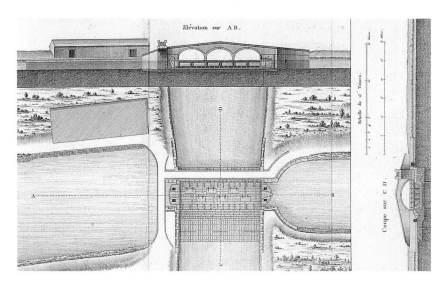

*Coupe et élévation
du déversoir-épanchoir
Radeau et pont de Libron*
Toulouse, musée Paul-Dupuy.
Inv. n° 67.31.23. Cliché STC.

Entrée du tunnel de Malpas
Toulouse, musée Paul-Dupuy.
Inv. n° 63.237.18. Cliché STC.

construction du port de Sète est conduite en même temps que le creusement du tronçon Toulouse-Naurouze du canal. Quant aux tâches dévolues aux ouvriers, elles sont d'une précision toute militaire : c'est ainsi que dans une section de 40 « têtes » préposée au terrassement, on en comptera « 10 pour le fossoyement, 10 pour le chargement, 20 pour le transport des terres ».

On s'étonnera plus volontiers de voir Riquet habité d'une véritable conscience sociale, peu courante parmi les fermiers de Gabelle dont la réputation de rapacité n'était pas surfaite. En effet, outre les salaires nettement plus élevés que la moyenne qu'il verse à ses ouvriers – ce que l'on peut comprendre tant il a besoin d'une main-d'œuvre abondante et fidèle –, il instaure des avantages sociaux quasiment inconnus à l'époque, comme par exemple le paiement des dimanches et des jours de fête, des congés de maladie et même des journées chômées pour cause de pluie...

Menés comme une armée en campagne, ingénieurs et ouvriers font en tout cas avancer les travaux à une vitesse stupéfiante : en mai 1668, soit dix-huit mois après la pose de la première pierre, la section Toulouse-Naurouze était mise en eau, et en 1672, le trafic s'y organisait. En 1673, après bien des contretemps dus entre autres au creusement du port de Castelnaudary,

le tronçon Naurouze-Trèbes était à son tour ouvert. Les travaux de la « seconde entreprise » – tronçon Trèbes-étang de Thau – vont être retardés par d'innombrables difficultés. Les problèmes financiers s'accumulent : la province et l'État rechignent à payer, et les dépassements continuels du devis initial – le nombre des écluses, en particulier, avait largement été sous-estimé – commencent à exaspérer Colbert, qui va jusqu'à soupçonner Riquet de détournement de fonds, lequel pourtant est obligé, non seulement de mettre en vente la quasi-totalité de ses biens, mais encore d'emprunter des centaines de milliers de livres. Dans ce contexte déjà délétère, cabales et malveillances se multiplient : les édiles de Narbonne, furieux d'apprendre que le tracé du canal passera par Béziers et non par leur ville, multiplient les campagnes de dénigrement, tandis que l'un des lieutenants de Riquet, l'ingénieur François Andréossy, tente de se faire passer auprès du roi pour le véritable auteur et maître d'œuvre du projet... À cela s'ajoutent des problèmes techniques, dus essentiellement à la topographie : Riquet s'épuise à surmonter, au prix de travaux colossaux, des obstacles parfois réputés infranchissables, et qu'il « efface » avec une hardiesse stupéfiante : percement du tunnel de Malpas, franchissement de la Cesse, pont-canal de Répudre, creusement du plus long bief jamais

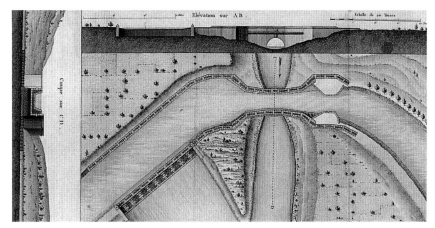

**Plan, coupe et élévation
de l'aqueduc de Repudre**
Toulouse, musée Paul-Dupuy.
Inv. n° 67.31.17. Cliché STC.

Allégorie Louis XIV
Toulouse, musée Paul-Dupuy.
Inv. n° 53.85.1. Cliché STC.

osé, construction des « escaliers » de Fonserannes... On prête à Colbert d'avoir eu la tentation momentanée d'ordonner, malgré son avancement, la fermeture pure et simple du chantier... Mais Riquet s'obstine, et conduit parallèlement la « troisième entreprise », c'est-à-dire la construction du port de Sète, choisi comme débouché méditerranéen du canal après de multiples hésitations, Narbonne, qui aurait été reliée à Port-la-Nouvelle, ayant longtemps tenu le rôle de principale rivale. Commencés en 1666 par l'enrochement du môle Saint-Louis, les travaux d'aménagement du port de Sète ne s'achèveront qu'après le mort de Riquet : ce n'est en effet qu'en 1682 que les premiers navires pourront s'y mettre à quai.

On sait qu'épuisé et ruiné, Pierre-Paul Riquet ne verra jamais – à quatre misérables kilomètres et six mois de travaux près – l'achèvement de son œuvre. Il eut pourtant, durant quinze années de lutte contre la terre et l'eau – et pire, contre les sceptiques, les jaloux, les usurpateurs et les mauvais payeurs –, d'immenses satisfactions : celle d'être reconnu de son vivant comme un authentique génie ; celle ensuite d'avoir la certitude de laisser son nom à l'une des œuvres majeures du Grand Siècle ; celle enfin – elle peut nous paraître dérisoire aujourd'hui, mais elle représentait sous l'Ancien Régime l'ultime consécration – d'obtenir du roi l'anoblissement et la reconnaissance de l'ancienneté – pourtant fort douteuse – de son ascendance aristocratique.

« Le Canal de Jonction des Deux Mers est sans contredit le plus beau et le plus noble ouvrage de cette espèce jamais entrepris », écrivit Vauban. Cet hommage – mérité et sincère – d'un génie à un autre génie ne doit cependant pas faire oublier quelques réalités impitoyables : pressé par le temps, étranglé par ses difficultés de trésorerie, Riquet, bien que soucieux d'œuvrer pour les générations futures, exigeant même dans les pires moments de famine financière l'emploi des matériaux les plus nobles et les plus durables, a parfois dû arbitrer en faveur de solutions bien hâtives : c'est ainsi que de nombreux cours d'eau franchissaient le canal par de simples chaussées, et que leurs crues provoquaient régulièrement des envasements et des ensablements induisant de lourds coûts d'entretien. De même, le contenu de la retenue de Saint-Ferréol s'étant avéré insuffisant à l'usage, la hauteur de sa digue et son système d'alimentation devaient être revus...

C'est à Vauban que les héritiers de Riquet feront appel pour résoudre ces difficultés et corriger ces imperfections. Tout en affirmant « qu'il eût préféré la gloire d'en être l'auteur à tout ce qu'il avait fait ou pourrait faire à l'avenir », celui qui depuis près de dix ans était « Commissaire des fortifications du Royaume » va faire mener, entre 1687 et 1693, une campagne de travaux considérables : la digue du bassin de Saint-Ferréol est rehaussée, tandis que son alimentation est régularisée par la prolongation de plus de 7 kilomètres de la rigole de la Montagne, ce qui impliquera entre autres le percement du tunnel de Cammazes ; quarante-neuf aqueducs et ponts-canaux sont construits – parmi lesquels ceux, très spectaculaires, de la Cesse, de l'Argentdouble, de l'Orbiel et de Pechlaurier –, permettant ainsi de supprimer les chaussées et d'éviter l'ensablement à leur niveau. Mais il ne s'agit là que d'améliorations – que souvent Riquet avait envisagées sans avoir ni les moyens ni le temps de les mener à bien – et non d'une remise en question du schéma général de l'ouvrage.

Si la navigation fluviale entre les Deux Mers était désormais possible, elle n'en continuait pas moins de comporter quelques lacunes et de se heurter à quelques obstacles. Pour ce qui est des lacunes, certaines villes importantes n'étaient pas desservies, comme Carcassonne, qui avait refusé – avant, mais trop tard, de le regretter

Le Canal royal de Languedoc
Toulouse, musée Paul-Dupuy.
Inv. n° 1.749. Cliché STC.

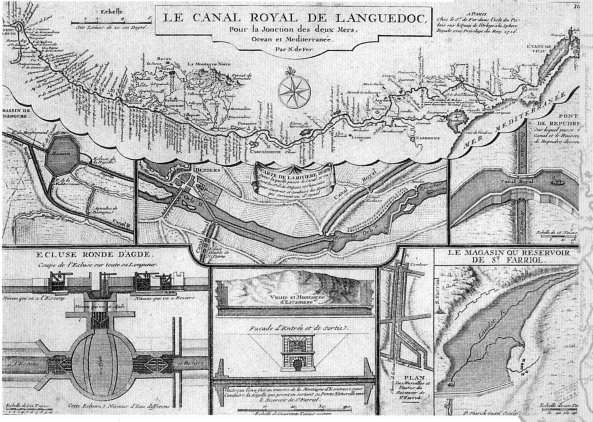

Le canal du Midi en chiffres

240 kilomètres de longueur.
1,60 mètre de profondeur
théorique moyenne,
1,40 mètre de profondeur
pratique moyenne.
20 mètres de largeur
moyenne au miroir,
11 mètres de largeur
moyenne au plafond.
Gabarit minimal des écluses :
30 mètres de longueur sur
5,35 mètres de largeur.
Point culminant :
190 mètres d'altitude
au seuil de Naurouze.
Dénivellation entre
Toulouse et le seuil de
Naurouze : 58 mètres.
Dénivellation entre le seuil
de Naurouze et l'étang
de Thau : 110 mètres.
350 ouvrages d'art dont
126 ponts, 55 aqueducs,
6 barrages, 7 ponts-canaux.
63 écluses, dont 1 septuple,
1 quadruple, 4 triples
et 19 doubles.
Nombre d'arbres plantés
à l'origine sur les berges :
45 000. Nombre actuel :
60 000 environ.
Bief le plus long :
53,490 kilomètres entre
l'écluse d'Argens et
celle de Fonseranes.
Bief le plus court :
250 mètres entre les deux
écluses de Fresquel.
Écluse la plus fréquentée :
Argens, 11 000 bateaux
par an, transportant en
moyenne 5 passagers.
Nombre d'hectares irrigués
grâce au canal : 24 000.
Nombre d'emplois directs
induits par le canal : 1 009.
Retombées économiques
annuelles dues à l'activité
du canal des Deux Mers :
environ 800 millions
de francs
(122 millions d'euros).

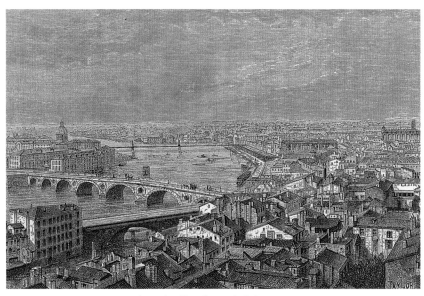

Toulouse, la ville et les quais de la Garonne.

– le passage du canal, et Narbonne, qui s'était vue préférer Béziers et Sète. Quant à la liaison avec le Rhône, pourtant indispensable à la cohérence du dispositif, elle n'était qu'à l'état d'ébauche. Pour ce qui est des obstacles, la jonction entre Toulouse et Bordeaux continuait de se faire par la Garonne. Or, son débit capricieux, ses crues violentes et ses hauts-fonds vagabonds en période de basses eaux la rendaient périlleuse presque en toute saison, et les barques adaptées à la navigation sur le canal ne pouvaient l'emprunter, ce qui rendait obligatoire une rupture de charge, aussi coûteuse en temps qu'en argent.

Il faudra encore deux siècles pour compléter l'œuvre de Riquet, et pour que l'on puisse réellement parler de canal (le pluriel serait plus approprié) des Deux Mers, le canal du Midi devenant alors un simple maillon, bien que le plus important, d'un vaste ensemble de voies d'eau artificielles.

Narbonne était traversée par la Robine, un ancien lit de l'Aude déjà transformée en canal au Moyen Age, et qui avait été remis en service peu après l'ouverture du canal du Midi.

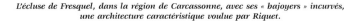

L'écluse de Fresquel, dans la région de Carcassonne, avec ses « bajoyers » incurvés, une architecture caractéristique voulue par Riquet.

Canal latéral à la Garonne (photographie).
Toulouse, musée Paul-Dupuy. Inv. n° 64.3.2. Cliché STC.

Mais ce n'est qu'à la fin du XVIIIᵉ siècle que le creusement du canal de jonction – 5 kilomètres entre Port-la-Robine et Gailhousty – permettra à la ville d'être enfin reliée au canal du Midi. C'est à la même époque qu'à Toulouse est inauguré le canal de Brienne, un ouvrage court – 1,5 kilomètre environ – mais d'une grande utilité, car permettant de contourner la chaussée de Bazacle, l'un des plus mauvais obstacles du fleuve dans sa traversée de la ville. En 1808, la liaison entre le Rhône et l'étang de Thau est à son tour achevée, par un prolongement jusqu'à Beaucaire d'un canal creusé à la fin du XVIIᵉ siècle entre Sète et Aigues-Mortes. En 1810, le canal du Midi rejoint Carcassonne, grâce en particulier à la construction du pont-canal du Fresquel. La dernière page est tournée en 1857, quand après vingt-sept ans de travaux, le canal latéral à la Garonne – 193 kilomètres entre Toulouse et Castets-d'Orthe – est enfin inauguré. À cette date, une péniche partie de Beaucaire peut atteindre Bordeaux en n'empruntant que des voies d'eau faites de main d'homme... Ironie de l'Histoire : c'est précisément au moment où les Deux Mers étaient enfin reliées par un ensemble complet et cohérent de

voies navigables que l'essor du chemin de fer, puis, plus tard, du transport routier, va commencer à concurrencer la batellerie, avant, progressivement, de la tuer... Le trafic connut son apogée dans la seconde moitié du XIXᵉ siècle, avant de décroître irrémédiablement, malgré une légère reprise avant la Grande Guerre. En 1989, la dernière péniche commerciale du canal du Midi accomplissait son dernier trajet... Ne présentant plus guère d'utilité, si ce n'est pour l'irrigation, les canaux des Deux Mers menaçaient d'être laissés à l'abandon. Le salut est venu de la vogue toute récente du tourisme fluvial. Les quelque 100 000 personnes qui les parcourent chaque année sur des centaines de pénichettes, dix bateaux-hôtels et plus de cinq cents bateaux privés, auxquels s'ajoutent les innombrables randonneurs et cyclistes qui empruntent leurs chemins de halage, leur confèrent de nouveau un réel intérêt économique. En 1996, le classement du canal du Midi au Patrimoine mondial de l'humanité a non seulement signifié la reconnaissance universelle du génie de Riquet, mais a sans doute aussi assuré que son œuvre sera transmise intacte aux générations futures...

Les héritiers de Riquet

À la mort de Riquet, c'est à ses deux fils, Jean-Mathias, baron de Bonrepos, et Pierre-Paul, comte de Caraman, que revint la propriété du canal, érigé en fief héréditaire. Une gestion intelligente et la vente d'une partie des actifs de l'entreprise leur permirent de rembourser progressivement les dettes de leur père – il leur faudra tout de même, on l'a vu, plus de quarante ans – et d'en tirer, du premier tiers du XVIIIᵉ siècle à la Révolution, des revenus considérables. En 1792, les Caraman ayant émigré, la République confisque le canal. Il faudra aux descendants de Riquet attendre la Restauration pour récupérer une partie de leurs avoirs. Pour peu de temps : la concurrence du rail entraîne une baisse de plus en plus marquée du trafic, et donc des bénéfices. En 1858, un décret signé de Napoléon III confie pour une durée de quarante ans la gestion du canal à son adversaire le plus dangereux, la Compagnie des Chemins de Fer du Midi, propriétaire de la toute nouvelle ligne Bordeaux-Narbonne. C'est le début d'une lente agonie... Au terme de la concession, en 1898, l'État rachète la totalité des actions du canal, qui se trouve en fait nationalisé. Son statut n'a plus changé depuis lors, et sa gestion est depuis 1991 confiée à l'administration de Voies navigables de France.

Vocabulaire du marin d'eau douce

Amont : *partie du canal comprise entre un point considéré et le bief de partage, soit le seuil de Naurouze.*

Aval : *partie du canal entre un point considéré et sa jonction, soit avec l'étang de Thau dans le sens Naurouze-Méditerranée, soit avec le canal latéral de la Garonne, dans le sens Naurouze-Toulouse.*

Aqueduc : *ouvrage servant soit à faire passer une rivière sous le canal, soit à amener l'eau dans le sas d'une écluse.*

Bâbord : *partie gauche du bateau quand on regarde vers l'avant.*

Bajoyer : *mur latéral d'une écluse.*

Berge : *talus bordant les rives du canal.*

Berme : *partie horizontale supérieure des talus bordant les rives du canal.*

Bief : *portion du canal comprise entre deux écluses.*

Bief de partage : *il se situe au point culminant du relief que franchit le canal (seuil de Naurouze).*

Bitte : *pièce verticale, en pierre ou en acier, servant à amarrer les bateaux au port ou à l'écluse.*

Ancienne bitte d'amarrage.

Canal du Midi : *voie d'eau reliant Toulouse à l'étang de Thau.*

Canal des Deux Mers : *ensemble constitué par le canal du Midi, le canal de Brienne, le canal de Jonction, le canal de la Robine et le canal latéral à la Garonne.*

Carré : *« salle de séjour » d'un bateau.*

Chemin de halage : *il était emprunté par les hommes et les chevaux qui halaient les bateaux. Il est aujourd'hui utilisé pour l'entretien et l'exploitation du canal et sert de lieu de promenade pour les usagers de plus en plus nombreux à la recherche de calme et de verdure. Le chemin de contre-halage est situé sur la rive opposée.*

Chômage : *période pendant laquelle le trafic est interrompu pour permettre les travaux conséquents d'entretien d'un canal.*

Coche de plaisance : *bateau de plaisance de moins de 15 mètres.*

Déversoir : *ouvrage permettant d'écrêter par déversement en surface, et sans intervention humaine, le trop-plein d'un bief. À ne pas confondre avec épanchoir (voir ci-dessous).*

Duc-d'Albe : *pilotis permettant l'amarrage d'un bateau en bief aux abords d'une écluse.*

Éclusée : *ensemble des manœuvres nécessaires au franchissement d'une écluse par un bateau.*

Épanchoir : *ouvrage constitué de vannes manœuvrables, grâce auquel s'écoule par le fond le trop-plein d'un canal ou d'un réservoir.*

Gabarit : *indique la taille maximale – longueur, largeur, tirant d'eau et tirant d'air – des bateaux pouvant emprunter une voie d'eau.*

Miroir : *largeur du plan d'eau entre les deux berges.*

Mouillage : *profondeur disponible pour le passage d'un bateau. À ne pas confondre avec tirant d'eau (voir ci-dessous).*

Mur de chute : *sorte de marche, située à l'aval immédiat de la porte amont d'une écluse, qui rattrape la différence de niveau entre les biefs amont et aval.*

Nolisage : *mise en location d'un bateau de tourisme.*

Perré : *mur incliné, en pierres maçonnées ou non, appliqué près de la surface (perré de flottaison) ou descendant jusqu'au plafond (perré de fond).*

P.K. : *point kilométrique, signalé par une borne et reporté sur toutes les cartes du canal. Indication indispensable pour se repérer par rapport à une écluse, un pont ou un site.*

Plafond : *contraction orthographique de « plat-fond », le mot désigne le fond du canal entre les bases des talus formant les berges.*

Pont-canal : *ouvrage d'art permettant au canal de franchir une rivière ou une vallée étroite.*

Radier : *dalle formant le fond du sas de l'écluse.*

Sas : *bassin délimité par les bajoyers et les portes d'une écluse.*

Tirant d'eau : *hauteur de la partie immergée d'un bateau, variant avec la charge. Entre le « mouillage » (voir ci-dessus) et le tirant d'eau, une profondeur minimale (20 à 50 centimètres) appelée « pied de pilote » - doit être respectée.*

Tirant d'air : *distance verticale entre le plan d'eau et la partie fixe la plus haute du bateau, et donc hauteur libre sous un pont ou un tunnel.*

Tribord : *partie droite du bateau quand on regarde vers l'avant.*

Tunage : *tout système de protection des berges du canal, consistant en l'alignement de pieux maintenant un matériau intermédiaire, fascines, bois, métal ou béton.*

Vantail : *partie mobile d'une porte d'écluse. Les portes d'écluses du canal du Midi, dites « busquées », comportent deux vantaux.*

La batellerie d'autrefois sur le canal

Bon de transport
Direction des Transports
accélérés - Service d'Agen
à Beaucaire - Toulouse, musée
Paul-Dupuy. Inv. n° 4.479.
Cliché STC.

Places retenues dans
les malles-poste (recto).
Toulouse,
musée Paul-Dupuy.
Inv. n° 70.4.1. Cliché STC.

Dès son achèvement en 1681, le canal du Midi devint une artère de communication majeure, empruntée tant par les marchandises que par les voyageurs. Si des bateaux de mer le parcouraient dans les deux sens, mâture couchée, pour éviter le détour par Gibraltar, ce sont des embarcations spécialement conçues et fabriquées localement qui constituaient le gros de sa flotte.

Pour le transport des marchandises, on utilisait des barques d'une vingtaine de mètres de long, halées par des hommes ou des chevaux, pouvant transporter jusqu'à 120 tonnes. Jusqu'au milieu du XIXᵉ siècle, on comptera entre 200 et 250 naviguant simultanément sur le canal… Le fret consistait essentiellement en céréales, en vin, en fruits ou en poisson séché, voire, en temps de guerre, en troupes, en munitions et en canons. Entre Sète et Toulouse, le temps moyen de transport pour les barques les plus lourdement chargées était d'environ huit jours.

Quant aux voyageurs, ils empruntaient des « voitures de poste », halées comme les barques par des chevaux, dont le confort et la rapidité ne cessèrent de croître au cours des années. Dans les premiers temps, elles étaient de faibles dimensions – une douzaine de mètres de long – et n'offraient qu'un abri sommaire construit sur le pont. Mais très vite, elles devinrent plus imposantes – jusqu'à 30 mètres de long – et furent dotées d'un vaste salon meublé ouvrant par des fenêtres sur le paysage. Ce qui ne signifiait pas que le voyage fût de tout repos : durant plus d'un siècle, dans le souci de gagner du temps, les écluses multiples n'étaient pas franchies, et les voyageurs étaient transférés avec armes et bagages d'une « voiture » à une autre. À ces nombreux transbordements – on compte vingt-cinq écluses multiples entre Toulouse et l'étang de Thau –

s'ajoutaient un arrêt pour le repas de la mi-journée, la « dînée », et un autre pour l'étape du soir

Vue du contour
de la redorte.
Toulouse, musée Paul-Dupuy.
Inv. n° 67.67.3. Cliché STC.

dans une auberge proche d'une écluse, la « couchée », puisque l'on ne naviguait pas de nuit. Il ne fallait malgré tout que quatre jours pour parcourir les 240 kilomètres du canal… À partir du début du XIXᵉ siècle, la concurrence de la diligence, puis plus tard du rail, incitera les gestionnaires du canal à mettre tous les moyens en œuvre pour améliorer le confort des voyageurs et raccourcir la durée du voyage. « (…) un salon, correspondant si l'on veut à la première classe de nos chemins de fer, est aménagé à l'avant de la barque de poste pour les « voyageurs de distinction », tandis qu'une salle commune, à l'arrière, tient lieu de deuxième classe. Des arrêts sont prévus pour les repas à Castelnaudary, Carcassonne et le Somail, et en outre, des restaurants sont installés à bord ». Des bateaux « à sillage rapide » sont mis en service, halés au trot par des chevaux conduits par un postillon, et relayés tous les huit kilomètres. Les transbordements aux écluses multiples sont supprimés – sauf à Fonserannes – et la navigation de nuit autorisée.

Les temps de trajet se mettent alors à fondre : au milieu du siècle, il ne faut plus que 32 heures pour aller de Toulouse à Sète – près de 100 heures étaient nécessaires un siècle plus tôt – « ce qui représente sensiblement une vitesse horaire de 11 kilomètres. Nos automoteurs sont loin de l'atteindre aujourd'hui. La vitesse s'accélérera d'ailleurs par la suite, pour atteindre 17 kilomètres à l'heure vers 1860… au moment précisément où disparaîtra la barque de poste ». »

1. « Connaissance du canal du Midi », Arnaud d'Antin de Vaillac, Éd. France-Empire.

Places retenues dans
les malles-poste
(verso). Toulouse,
musée Paul-Dupuy.
Inv. n° 70.4.1.
Cliché STC.

Le canal du Midi, de Toulouse au seuil de Naurouze

Dans quel sens parcourir les 240 kilomètres du canal ? De Toulouse à Sète, ou inversement ? On peut hésiter... Qu'importe, dira-t-on, puisque de toute façon on rencontrera les mêmes paysages, on franchira les mêmes écluses, on fera escale dans les mêmes villes... Mais voilà, il faut bien choisir. Si nous avons décidé de partir de Toulouse, c'est finalement pour de bien minces raisons. La première est d'ordre historique : c'est d'ouest en est que le canal a été creusé, même si, nous l'avons vu, plusieurs chantiers ont toujours été menés simultanément. Suivre chronologiquement ou presque le tracé voulu par Riquet, rencon-

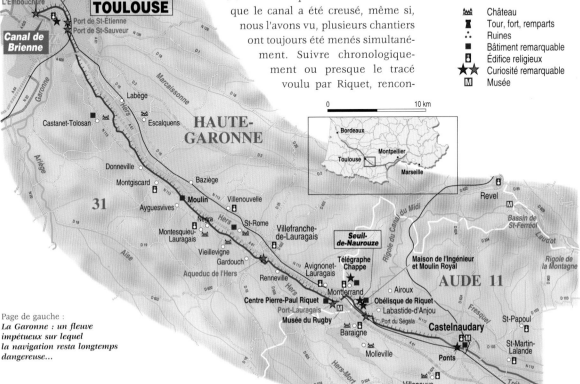

Château
Tour, fort, remparts
Ruines
Bâtiment remarquable
Édifice religieux
Curiosité remarquable
Musée

Page de gauche :
La Garonne : un fleuve
impétueux sur lequel
la navigation resta longtemps
dangereuse...

Toulouse.
Le boulevard Riquet
et le canal du Midi.

Le Jardin japonais
à Toulouse.

Toulouse.
Le canal du Midi.
La passerelle Negreneys.

trer, dans le même ordre que lui, les difficultés qu'il a dû surmonter, tout cela contribue peut-être à mieux comprendre la grandeur de son œuvre. La deuxième est purement subjective : même si un canal n'est pas un fleuve, même s'il ne « coule » pas d'une source à une embouchure, aller vers la mer, n'est-ce pas d'une certaine façon suivre le cours naturel des choses ? La dernière ne l'est pas moins : se plonger d'abord quelques heures dans le tourbillon de l'une des villes les plus vivantes de France ne peut que rendre plus exquis le contraste avec la paix et le silence que l'on goûtera, des jours et des nuits durant, entre les rives de cet immense chemin d'eau...

95 - BASSIN ET DIGUE DE ST-FERRÉOL (TARN) UN JOUR DE FÊTE

Phototypie LABOUCHE Frères, Toulouse

La Montagne Noire
Bassin et digue de Saint-Ferréol
(Tarn) un jour de fête
(carte postale)
Toulouse, musée Paul-Dupuy.
Inv. n° D.55.4.1293. Cliché STC.

Une péniche au port
Saint-Etienne,
sur le canal du Midi,
à Toulouse.

Le canal de Brienne,
à Toulouse, relie
le canal du Midi
à la Garonne.

De Toulouse au seuil de Naurouze, le canal va traverser les riches campagnes du Lauragais, dans ce « sillon » qui, depuis la plus haute antiquité, entre contreforts des Pyrénées et pentes méridionales du Massif central, a toujours été lieu de passage et de brassage. Berceau d'une civilisation brillante et raffinée que ravagea de fond en comble l'épouvantable répression du catharisme, mais resté terre du bien-vivre et du bien-manger, province fertile enrichie par le pastel, puis par les céréales, le Lauragais, avec ses paysages lumineux, ses villes de brique rose, ses bastides et ses châteaux, est bien encore ce « pays de cocagne » dont la beauté, la prospérité

*La salle des Illustres
au Capitole (hôtel de ville
de Toulouse).*

et la culture fascinèrent longtemps l'Europe entière.

Nul besoin de revenir sur une évidence : intelligente, cultivée, jeune, cosmopolite, pleine de rires, d'entrain et de musique, Toulouse est d'une beauté éblouissante. D'abord parce qu'elle est bel et bien – tant pis pour la banalité – cette « ville rose » que vantent les dépliants touristiques. Certes, elle est rouge aussi quand le ciel s'assombrit, ou mauve sous le soleil couchant, mais rose surtout, rose de tous ses toits, de tous ses murs, de toutes ses lumières. Rose dans le reflet que lui renvoient la Garonne et les canaux, rose même au cœur de la nuit à la lueur des réverbères... Quelle que soit votre hâte à larguer les amarres, consacrez-lui le temps qu'elle mérite, non seulement pour ses monuments – comment ignorer la place du Capitole,

Les rives de la Garonne vues de la place de la Daurade à Toulouse.

la basilique Saint-Sernin, le couvent des Jacobins ou la cathédrale Saint-Étienne ? – mais aussi, et c'est à ce prix qu'on peut vraiment la comprendre, pour y flâner longuement... Peu de villes en effet ont été affublées de tant de clichés, rugby, cassoulet, Airbus, confit d'oie, Nougaro, et l'on en passe... Dans l'imaginaire français, l'identité de Toulouse est assez floue, ou plutôt ambivalente : tantôt ville-bien-de-chez-nous, genre réserve pour indigènes à bérets basques avé l'asseng, tantôt technopole peuplée d'ingénieurs en blouse blanche préparant en secret le monde du III millénaire... C'est trop pour une seule ville, dira-t-

on. Pas pour Toulouse : Futuropolis, elle l'est ; capitale des Comtes, elle le reste. Et elle a su garder le meilleur des deux rôles : ni ville-musée – elle est trop jeune, trop vivante pour cela –, ni Houston-sur-Garonne – elle est pétrie d'une trop ancienne civilisation pour tomber dans cette vulgarité-là. Y vivre quelques heures ou quelques jours, c'est se heurter constamment à ces deux réalités contradictoires, qu'une alchimie bizarre a su rendre harmonieuses. Il y a le pittoresque du quartier médiéval, les solennités inspirées des hôtels Renaissance, les cours secrètes et silencieuses devinées au-delà d'un porche, les berges ombragées des canaux, les placettes aux contours improbables, les quais et les fontaines. Mais il y a aussi les embouteillages à faire pâlir un Parisien, les terrasses chahuteuses des bistrots d'étudiants et les laboratoires où travaillent les spationautes... Voilà pourquoi il serait dommage de quitter cette ville superbe et paradoxale sans en avoir goûté toutes les saveurs.

La violette

On peut s'étonner que la fleur qui symbolise la modestie soit liée au nom de l'orgueilleuse capitale occitane. Mais c'est ainsi : il n'était autrefois de violette que de Toulouse... Elle aurait, dit-on, été rapportée de Parme par des soldats ayant combattu en Italie sous les ordres de Bonaparte. L'engouement fut immédiat : parfaitement adaptée au climat, elle fut adoptée par les fleuristes et les horticulteurs, distillée par les parfumeurs, transformée en friandise par les confiseurs. Au début du siècle, cette fleur d'hiver bleu-mauve – on la cueille d'octobre à mars – contribuait largement à l'économie de la ville... Mais après la Grande Guerre, les difficultés de main-d'œuvre et l'apparition de maladies spécifiques à la plante ont progressivement entraîné un effondrement de la production.

La résurrection ne date que de 1985, quand la recherche a permis sa culture in vitro. Depuis une dizaine d'années, la production sous serres a repris. Sans atteindre les niveaux d'autrefois, elle est cependant désormais suffisante pour que la violette puisse de nouveau être considérée comme l'emblème de la ville rose...

© Sclaresky Monique.

L'hôtel d'Assézat, élevé au temps où le pastel faisait la fortune de Toulouse.

*Le port de l'Embouchure,
à Toulouse, où se rencontrent
le canal du Midi, le canal
de Brienne et le canal latéral
de la Garonne.*

*Les canaux à Toulouse
Écluse Saint-Pierre, canal de
Brienne (carte postale)*
Toulouse, musée Paul-Dupuy.
Inv. n° D.53.16.919. Cliché STC.

*Toulouse, le bac de
l'embouchure sur la Garonne
(carte postale)*
Toulouse, musée Paul-Dupuy.
Inv. n° D.55.4.586. Cliché STC.

Du canal, qui décrit autour d'elle une large courbe, il est d'ailleurs aisé de se rendre à pied dans ses quartiers les plus intéressants. Amarrez-vous tout d'abord au port de l'Embouchure. Quoiqu'un peu bruyant – une rocade très fréquentée le frôle –, le lieu est superbe. Ce vaste plan d'eau – 240 mètres de long –, construit en 1670 puis agrandi aux XVIIIᵉ et XIXᵉ siècles, est le carrefour où se rejoignent le canal du Midi, le canal de Brienne et le canal latéral à la Garonne. Si les ouvrages de Riquet ont malheureusement disparu, les « Ponts Jumeaux », bâtis en 1774 sur les canaux du Midi et Brienne, complétés en 1843 par un troisième lors du percement du canal latéral, constituent un ensemble de toute beauté. Le port de l'Embouchure est un point de départ idéal pour une promenade sur le long du canal de Brienne et sur la rive droite de la Garonne. Pour visiter le centre-ville, on pourra, après avoir franchi les écluses du Béarnais et des Minimes, et parcouru un denier bief dont les berges sont un délicieux jardin, s'amarrer en amont de l'écluse Bayard, à 3,5 kilomètres environ du port de l'Embouchure, non loin d'une statue de Riquet et du pont qui porte son nom. De là, les principaux monuments et les plus anciens quartiers de la ville sont aisément accessibles à pied ou à bicyclette.

Toulouse, les colonnes des Minimes. Groupe de blanchisseuses au canal (carte postale).
Toulouse, musée Paul-Dupuy.
Inv. n° D.53.16.1993. Cliché STC.

Entre les écluses de Bayard et de Castanet, le canal traverse les quartiers et les banlieues sud-est de Toulouse. Malgré quelques ouvrages intéressants, comme le port Saint-Étienne, à proximité duquel se dresse une halle aux grains du XVIIIe siècle, le port Saint-Sauveur, où subsistent quelques installations du XVIIIe siècle, le rarissime moulin à pastel (voir encadré) de Ramonville et enfin le pont et l'aqueduc de Madron, construits par Vauban, on ne perdra rien à parcourir rapidement ce long bief – plus de 12 kilomètres – même si, dès le pont-canal des Herbettes (P.K. 8), les paysages s'élargissent et deviennent plus champêtres. On pourra en revanche marquer un arrêt à l'écluse de Castanet – la première à laquelle Riquet donna une forme ovoïde, modèle qui sera ensuite étendu à toutes les écluses – pour se rendre à Castanet-Tolosan (1,5 kilomètre) qui offre deux monuments intéressants : le Vieil Hôpital – XIIIe et XVIIe siècles – et le château médiéval et Renaissance de Rabaudy.

Après l'écluse de Castanet, le tracé du Canal devient plus sinueux, sans s'éloigner beaucoup, malheureusement, de la N 113 et de l'A 61 qui l'encadrent. Aussi pourra-t-on parcourir rapidement les biefs, longs respectivement de 1,710 kilomètre et de

Toulouse, les écluses des Minimes (carte postale).
Toulouse, musée Paul-Dupuy.
Inv. n° 62.83.1102. Cliché STC.

Le château d'Escalquens (XIIIᵉ-XVIᵉ siècles) d'architecture typiquement toulousaine.

A droite, ci-dessous :
L'écluse de Négra, où avait lieu la « couchée » du premier jour.

Montgiscard.
L'écluse sur le Canal du Midi.

7,490 kilomètres, qui séparent les écluses de Vic et de Montgiscard, bien que le très beau château de brique (XIIIᵉ-XVIᵉ) d'Escalquens, à 2,5 kilomètres de Vic, mérite assurément la visite. C'est aussi le cas de Montgiscard, situé sur la rive droite du canal : cette ancienne bastide possède en effet une superbe église gothique du XIVᵉ siècle, dont le clocher-mur percé de six baies est un chef-d'œuvre de l'architecture toulousaine.

Les biefs suivants – 3,207, 1,502 et 3,662 kilomètres – conduisent successivement aux écluses d'Ayguesvives – où l'on remarque un moulin datant de 1831 –, du Sanglier et de Négra. Il ne faut pas manquer de faire escale à cette dernière, comme les voyageurs du XVIIᵉ siècle. C'est en effet à Négra qu'avait lieu la première « dînée » – entendez le déjeuner – pour les passagers de la « voiture de poste » en provenance de Toulouse, qui débarquaient en fait dans un véritable petit village, ancêtre des relais autoroutiers d'aujourd'hui, où tous les services leur étaient offerts : hôtellerie, restauration et lieu de culte. Les bâtiments ont été conservés, et l'on peut encore voir la chapelle, les écuries destinées aux chevaux de halage et

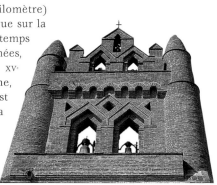

les maisonnettes qui abritaient les salles à manger. De Négra, on ne manquera pas de se rendre dans deux beaux villages situés à distance raisonnable du canal : à Montesquieu-Lauragais (1 kilomètre), tout d'abord, pour ses deux châteaux, l'un bâti à la Renaissance et remanié au XIXᵉ siècle, l'autre entièrement au XIXᵉ, et surtout pour son église de brique (XVIᵉ siècle) ; à Villenouvelle (2 kilomètres), ensuite, pour le superbe clocher-mur de son église du XVIᵉ siècle. En amont de Négra, amarrez-vous à proximité du P.K. 35. Sur la rive droite, Vieillevigne (1 kilomètre) offre, outre une très belle vue sur la plaine de l'Hers, et par temps clair, sur la chaîne des Pyrénées, un somptueux château du XVᵉ siècle. Sur la rive gauche, Saint-Rome (2 kilomètres) est une des curiosités de la région : à la fin du siècle dernier, un certain Louis-César de la Panouse, passionné d'architecture et architecte un peu fou, fit construire une sorte de cité idéale, où il voulut rassembler les paysans, les artisans et les ouvriers agricoles de ses domaines, dans l'esprit d'un bizarre phalanstère seigneurial. La vingtaine de bâtiments et le château autour duquel ils se regroupent sont bâtis dans les styles les plus hétéroclites, du mauresque au palladien, du flamand au néo-byzantin, sans oublier le baroque ou le tudor. Si l'ensemble provoque plutôt la stupeur que l'admiration, il est en tout cas par son étrangeté au moins digne du facteur Cheval.

Le clocher-mur de l'église de Villenouvelle (XVIᵉ siècle) est l'un des plus beaux de la région toulousaine.

A gauche, ci-dessus :
Montesquieu-Lauragais, une ancienne capitale du pastel.

Édifice mauresque élevé dans l'ancienne propriété du marquis de la Panouse à Saint-Rome.

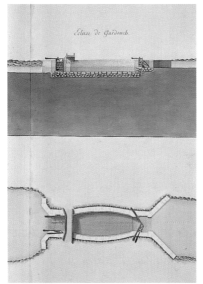

**Plan et coupe
de l'écluse de Gardouch.**
VNF - Direction Régionale
du Sud-Ouest - Archives
des Canaux du Midi.
Photo Jean-Luc Auriol.

dure... d'une immense aire d'autoroute. Non, ce n'est pas un gag... Deux raisons rendent cette étape indispensable, même si elle est bruyante et peuplée. La première est sa vocation culturelle : le Centre Pierre-Paul-Riquet qui y a été installé, et qui retrace à travers plans, maquettes, reproductions de documents anciens et montages audiovisuels l'histoire de la construction du canal, est remarquablement instructif, le musée du Rugby qui le jouxte est non seulement distrayant, mais surtout nécessaire à qui veut s'initier à l'un des cultes majeurs de cette terre d'Ovalie, et la grande fontaine qui schématise le système d'alimentation en eau du canal et le fonctionnement des écluses très utile à la compréhension d'un

Après ces visites, on reprendra ensuite la navigation pour franchir les écluses de Laval et de Gardouch pour s'arrêter de nouveau à hauteur du P.K. 42, entre l'aqueduc de Lers – l'un des plus beaux du parcours, il a été construit en 1686 sur l'ordre de Vauban – et l'écluse de Renneville. À 1 kilomètre environ, Villefranche-de-Lauragais est une ravissante bourgade qui connut son apogée au XVIᵉ siècle, quand le pastel fit sa fortune. Le tracé géométrique de ses rues, caractéristique des bastides, ses « pountets » – passages reliant deux maisons à la hauteur du premier étage –, ses places fleuries et ses jardins, et enfin les beaux bâtiments de brique rose, dont une exceptionnelle église de style gothique toulousain, qui subsistent de son âge d'or, en font une étape de charme.

Au-delà de Renneville, il faudra passer deux écluses – Encassan et Emborrel – et parcourir 8 kilomètres avant d'observer un nouvel et long arrêt à Port-Lauragais, en bor-

**Le clocher-mur
de Villefranche-de-Lauragais
et ses cloches du XVIᵉ siècle.**

système somme toute fort complexe. La seconde est l'existence, à 1 kilomètre du port, de la bourgade d'Avignonet-en-Lauragais, qui marque une intéressante transition : la brique, si caractéristique de l'architecture toulousaine, disparaît, remplacée par la pierre. De son passé brillant – elle fut au Moyen Age une place forte des vicomtes de Lautrec et joua un rôle

Le pastel

C'est grâce à cette plante tinctoriale, qui pousse à l'état sauvage dans les campagnes du Lauragais et de l'Albigeois, que Toulouse connut entre le milieu du XVᵉ siècle et celui du XVIᵉ la période la plus faste de son histoire. La teinture bleue que l'on en extrait connut en effet à l'époque une vogue extraordinaire dans toute l'Europe. Les feuilles de pastel, cueillies à la main entre juin et juillet, étaient ensuite séchées et broyées. Après avoir fermenté six à huit semaines, la pulpe était façonnée en boules d'un diamètre d'une quinzaine de centimètres et d'un poids d'environ 700 grammes, les « coques », d'où le nom de « pays de cocagne » qui fut donné à la région toulousaine. Simplement abritées sous un toit, les coques étaient mises à sécher à l'air libre jusqu'au début du printemps. Elles étaient alors écrasées et mélangées à de l'eau croupie, voire du purin ou de l'urine humaine… Cette bouillie épaisse et nauséabonde subissait pendant quatre à cinq mois une seconde fermentation, au cours de laquelle elle se réduisait et se desséchait progressivement, jusqu'à devenir une pâte dense et granuleuse, l'« agranat », dernière étape de l'obtention de la teinture. Une tonne de feuilles était nécessaire pour obtenir au final 50 kilos d'agranat… Bien que très hasardeuses, la culture et la commercialisation du pastel permettront à des dynasties de marchands pasteliers – les Boisson, les Lancefoc, les Bernuy, les Assézat – non seulement de constituer d'immenses fortunes dont témoignent les somptueux hôtels particuliers qu'ils se firent bâtir à Toulouse, mais aussi de se faire anoblir.

Cet âge d'or dura pourtant à peine plus d'un siècle : à partir de 1560, le début des guerres de Religion et la concurrence de l'indigo qui, venu des colonies, se révéla moins cher et plus riche en colorant, allaient entraîner en quelques années l'effondrement du pastel.

Mais ce temps béni du « pays de cocagne » où « plus on dort, plus on gagne » resta pour toujours dans les mémoires… Depuis peu, la production de pastel a été relancée. Aussi modeste soit-elle, elle permet à quelques artisans toulousains de proposer des tissus teints dans ces extraordinaires nuances de bleu qu'aucun autre colorant naturel ou industriel ne pourra jamais restituer.

© Jacques Battigne

Siliques
et graines de pastel.

Henri Lambert,
devenu maître
dans l'art du
pastel.

© Tim Clinch

© CDT du Tarn

Coque ou
cocagne.

majeur pendant la croisade des albi-geois avant de devenir une des capi-tales du pastel – elle a gardé des ves-tiges d'enceinte, dont une superbe tour poivrière, et surtout une église gothique, Notre-Dame-des-Miracles, d'une ampleur et d'une pureté de style admirables.

On s'arrangera, bien sûr, pour quit-ter avant le soir le fracas et la cohue de Port-Lauragais, d'autant plus impérativement que l'une des sec-tions les plus belles et les plus pas-sionnantes du canal n'est qu'à quelques minutes. Entre l'écluse de l'Océan, distante d'un peu plus de

La tour poivrière (1606) d'Avignonet-en-Lauragais : pièce maîtresse des fortifications du village, elle servit aussi de prison.

*Le chevalier en armes de la tour poivrière
rappelle les massacres de la croisade
des albigeois.*

*Plaque du bief de partage
au Seuil de Naurouze.*

1 500 mètres, et l'écluse de la Méditerranée, 5 kilomètres plus loin, on va en effet naviguer – et mieux encore s'amarrer quelques heures – dans le bief de partage des eaux, dont l'existence conditionne celle du canal tout entier, et qui résume tout le génie de Riquet.

C'est là en effet le sommet – dans tous les sens du mot – de son œuvre : c'est là – à 189,43 mètres d'altitude exactement – que le canal

atteint son point culminant ; c'est là que les eaux venues de la Montagne Noire se séparent, suivant une ligne si précise qu'on prétend que les gouttes de pluie, selon le versant du toit de la Maison de l'ingénieur sur laquelle elles tombent, s'écouleront soit vers la Méditerranée, soit vers l'Atlantique... C'est là enfin que Riquet a imaginé, cherché et enfin trouvé la clé de la liaison entre les Deux Mers.

Le seuil de Naurouze n'est pas qu'un lieu de mémoire. Il est aussi un extraordinaire univers de beauté paisible : les berges ombragées du canal, l'Arboretum planté de cèdres, d'érables et de pins d'Alep, la spectaculaire allée bordée de 62 platanes – certains dépassent les 45 mètres de hauteur – et surtout le magnifique état de conservation des ouvrages édifiés par Riquet et Vauban – épanchoir, rigoles et écluses –, tout en

Le lac de Saint-Ferréol

Sans ce lac artificiel de 67 hectares, situé à 3 kilomètres de Revel, le canal du Midi n'aurait jamais vu le jour. Le coup de génie de Riquet, on s'en souvient, est d'avoir imaginé de rassembler les eaux de la Montagne noire pour alimenter le bief supérieur au seuil de Naurouze. Il est vrai qu'à l'origine, il avait prévu de créer une quinzaine de bassins en chapelet, et que l'idéede n'en creuser qu'un seul de vastes dimensions doit plutôt être attribuée au chevalier de Clerville. Qu'importe... Le mérite de Riquet est d'avoir toujours su adopter les solutions proposées par d'autres quand elles lui paraissaient meilleures...

Il fallut six ans à un millier d'ouvriers équipés de pelles, de pioches, de brouettes et de paniers pour venir à bout de ce gigantesque ouvrage. Le lac est alimenté par la rigole de la Montagne, elle-même issue du bassin du Lampy, et par les eaux du Laudot. Le barrage – 786 mètres de long sur 149 de large – est constitué de trois murs parallèles, le mur amont, le « grand mur » – haut de 35 mètres – et le mur aval, surmontés par des voûtes, et dont l'espace qui les sépare est comblé par un remblai. Une rigole, dite « de ceinture », entoure une partie du bassin, et permet d'évacuer les eaux lors de la vidange décennale. Comme le canal, le lac de Saint-Ferréol a été classé au Patrimoine mondial de l'humanité. Un musée du Lac, situé près des chutes, rassemble les outils employés à l'époque de Riquet pour l'édification du canal. Sa visite se combine avec celle de la « voûte des robinets », entre les murs amont et aval, où l'on peut voir le système de vidange du bassin. Avec ses plages et sa base nautique, le lac de Saint-Ferréol est devenu l'une des attractions touristiques de la région toulousaine.

Un destin que Riquet ne lui avait sans doute pas prévu...

Plan du réservoir de Saint-Ferréol.
Toulouse, musée Paul-Dupuy. Inv. n° 67.31.7. Cliché STC.

*Plaque de l'écluse de l'Océan
au Seuil de Naurouze.*

ÉCLUSE DE L'OCÉAN.

DISTANCES.

DE L'ÉCLUSE.
D'EMBOREL.
4157 MÈTRES.

DE L'ÉCLUSE.
DE LA MÉDITERRANÉE.
5190 MÈTRES.

HAUTEUR DU BIEZ DE PARTAGE
AU DESSUS DU NIVEAU DE LA MER 189ᵐ 06ᶜ

*La spectaculaire allée
de 62 platanes centenaires
menant à l'écluse de l'Océan.*

fait une halte exquise. Chaque année, 30 millions de mètres cubes d'eau en moyenne sont acheminés sur le site par la rigole de la Plaine, et déversés en fonction des besoins de la navigation soit vers la Méditerranée, soit vers l'Atlantique, tout en alimentant les réseaux d'irrigation. À l'origine, Riquet avait fait creuser sur place un immense bassin octogonal revêtu de pierres de taille – 400 mètres de long, 300 mètres de large et 3 mètres de profondeur – destiné à stocker une partie des eaux nécessaires à l'alimentation du canal, autour duquel il avait projeté de bâtir une ville, «... avec des pavillons à peu près sur le modèle de la Place Royale à Paris, une paroisse, un arsenal, des magasins pour les bateaux ». La ville n'a jamais vu le jour – seuls quelques bâtiments de service furent construits – et du bassin, aujourd'hui comblé, on ne peut que deviner l'emplacement et les contours : régulièrement envasé par les alluvions apportées par la rigole – un curage complet était nécessaire au moins tous les deux ans, ce qui entraînait des dépenses considérables –, il fut définitivement abandonné au milieu du XVIIᵉ siècle.

Il est bien naturel que ce soit au seuil de Naurouze que le principal monument à la mémoire de Riquet ait été édifié. À proximité de la très belle Maison de l'Ingénieur – où fut signé entre Soult et Wellington l'armistice d'avril 1814 – et du Moulin Royal, contemporain du canal, une allée arborée mène à un obélisque d'une vingtaine de mètres de haut, reposant sur un piédestal sculpté, cerné d'une double couronne de cèdres, que les

Caraman, descendants directs du « Moïse du Languedoc », firent élever en 1825 en l'honneur de leur aïeul. Le socle naturel sur lequel repose le monument est en lui-même un site fameux depuis le Moyen Age. La légende veut que quand les fissures qui strient le calcaire de ces « pierres de Naurouze » se fermeront, la fin du monde surviendra...

Avant de quitter le bief de partage, enfin, on ne manquera pas quelques brèves excursions. À Montferrand, tout d'abord (2 kilomètres environ à partir de l'écluse de l'Océan), une ancienne forteresse cathare qui, à 300 mètres d'altitude, dominant donc le seuil de Naurouze d'une centaine de mètres, offre non seulement un superbe panorama sur le Lauragais et la Montagne Noire, mais aussi des ves-

tiges intéressants : une porte fortifiée du XIVᵉ siècle, un clocher-mur du XVIᵉ, l'église romane de Saint-Pierre-d'Azonne, située en contrebas, que jouxtent les ruines d'une basilique paléochrétienne, et, un peu inattendus dans cet univers médiéval, une tour de télégraphe Chappe ainsi qu'un phare aéronautique érigé en 1927 pour guider les pilotes de l'Aéropostale. À Baraigne, ensuite, qui sur l'autre rive du canal, à moins de 2 kilomètres du port du Ségala, possède un impressionnant château des XVᵉ, XVIᵉ et XVIIᵉ siècles, et l'une des plus belles églises romanes (XIIᵉ siècle) de la région. De cette bourgade, enfin, les courageux n'hésiteront pas à pédaler 2 kilomètres de plus, dans des paysages superbes de vallées abruptes aux fonds noyés par des lacs, pour admirer

La retenue de la Ganguise dans la région du Seuil de Naurouze : à moins de 5 kilomètres du canal, des paysages superbes qui méritent amplement une excursion...

L'écluse de l'Océan, porte d'entrée du bief de partage pour les bateaux venant de Toulouse.

le village perché de Molleville, dominé par la silhouette orgueilleuse et brutale de son château médiéval.

De Toulouse au port du Ségala, milieu du bief de partage, on a donc parcouru 54 kilomètres, franchi quinze écluses, dont trois doubles, qui ont élevé le niveau du canal d'un peu plus de 57 mètres. L'écluse de la Méditerranée va maintenant nous ouvrir ses portes pour une lente descente – 190 kilomètres, quarante-huit écluses et 189 mètres de dénivelé – vers l'étang de Thau et Sète...

« Parfaits » et croisés

Le catharisme – du grec « katharos », qui signifie « pur » – et l'effroyable répression dont furent victimes ses fidèles ont marqué à jamais la mémoire du Sud-Ouest. Il n'est guère de ville ou de village qui ne porte encore les traces des massacres, des pillages et des destructions qui accompagnèrent les croisades menées par l'Église, avec l'appui intéressé des rois de France qui y virent l'occasion d'annexer de riches territoires...
De cette doctrine venue d'Orient, on sait qu'elle pose comme principe l'affrontement du Bien et du Mal.
Dieu a créé un royaume éternel de l'esprit régi par le Bien ; Satan, parce qu'il a inventé la matière et le temps, est à l'origine du Mal ; l'Homme, qui par son corps appartient au Mal, et par son âme au Bien, doit lutter pour s'arracher au monde du Mal et accéder au royaume du Bien. Aussi doit-il mener une vie détachée des contingences matérielles en s'astreignant à la pauvreté, à la chasteté, à l'humilité et au travail, en pratiquant le jeûne, le végétarisme, et en s'interdisant de tuer toute vie, même animale. Les « Bonshommes » ou « Parfaits » sont ceux que Dieu a déjà ramenés à la lumière, et qui ont reçu le seul sacrement reconnu, le « consolamentum », à la fois baptême et ordination. Les « Croyants » sont les simples fidèles, encore sur la voie de la révélation.
Eux ne recevront qu'à l'article de la mort le « consolamentum », qui devient alors l'équivalent de l'extrême-onction.
À la différence de la religion catholique, qui exclut les femmes de la prêtrise, celles-ci jouent un grand rôle dans le catharisme, et de nombreuses « Parfaites » se constituent en communautés. Si enfin les fidèles se recrutent surtout parmi

*Grandes chroniques
de Saint-Denis.*
*Les documents anciens,
contemporains de la croisade
contre les cathares et les
albigeois, sont extrêmement
rares ; c'est dire l'intérêt que
présente cette miniature extraite
des Grandes Chroniques de
Saint-Denis (vers 1400) ;
le bûcher est peut-être la
caractéristique de cette croisade
qui est demeurée la plus
présente dans la conscience
collective, surtout lorsqu'il
concernait non pas une seule
personne (comme c'est le cas
ici) mais un ensemble de
plusieurs dizaines, voire de
plusieurs centaines
« d'hérétiques ».*
Bibliothèque municipale
de Toulouse, Ms. 512, f° 251 r°,
photo de la bibliothèque.

les commerçants et les artisans, des grands seigneurs se
convertissent – Raimond Roger, comte de Foix, ou
Roger Trencavel, comte de Béziers et vicomte de Carcassonne,
par exemple – ou tout au moins se posent en protecteurs
de l'hérésie, comme Raimond VI, comte de Toulouse...
L'Église ne pouvait rester indifférente à une doctrine qui
refusait certains sacrements - entre autres le baptême et le
mariage - et critiquait ouvertement sa richesse et
le relâchement des mœurs de son clergé. Au milieu du
XIIe siècle, saint Bernard vient prêcher en Albigeois pour ten-
ter de faire reculer l'hérésie. Mais celle-ci continue de se pro-
pager et en 1208, le pape Innocent III saisit le prétexte
de l'assassinat de l'un de ses légats, Pierre de Castelnau, pour
proclamer la première croisade contre les albigeois. Les
chevaliers du Nord, à qui l'Église a promis les mêmes
avantages que pour une croisade en Terre sainte – absolution
des péchés, promesse du Paradis pour les morts au combat –
et dont beaucoup rêvent de se tailler des fiefs dans les riches
contrées du Sud, accourent en masse de Champagne, d'Ile-de-
France, de Picardie, de Flandre, et même de Frise et de
Rhénanie. Menée d'abord par Simon de Montfort jusqu'à sa
mort en 1218, puis par son fils Amaury, la « guerre sainte »
dura vingt ans et fut d'une impitoyable cruauté. En témoigne
par exemple le sac de Béziers, en 1209, au cours duquel
30 000 habitants, hommes, femmes et enfants,

furent massacrés. Les places fortes cathares tombent
une à une, mais l'hérésie est si loin d'être éradiquée
qu'une seconde croisade, dont le roi de France Louis VIII
prend la tête, est préchée en 1226 par le pape Honorius III.
Pour renforcer l'efficacité de la lutte armée, son successeur
Grégoire IX crée en 1233 l'Inquisition, dont les tribunaux
ont pour mission de pourchasser et de juger les hérétiques.
Malgré ce déploiement de moyens, les cathares résisteront
encore près de trente ans. Parmi les faits saillants qui
marquent cette lente agonie, la prise de Montségur est restée
célèbre : au terme d'un siège de dix mois mené par
6 000 croisés, 215 hérétiques sont mis au bûcher au pied
de la citadelle... Ce n'est finalement qu'en 1255,
après la chute de Quéribus, leur dernière place forte,
que les cathares sont définitivement vaincus, au moins
sur le plan militaire, car leur religion continua
d'être pratiquée en secret. C'est ainsi qu'un « Parfait »,
Guillaume Bélibaste, fut brûlé vif en 1321, preuve
que l'hérésie continua longtemps de faire des adeptes.
En 1271, le Languedoc était rattaché au royaume de France.
Après l'une des guerres les plus longues et les plus sanglantes
du Moyen Age, le Nord s'emparait ainsi du Sud,
tandis que s'éteignait une civilisation raffinée
et brillante dont l'influence s'était étendue
sur toute l'Europe...

Du seuil de Naurouze à Trèbes

Voilà, c'est fait... Les vantaux de l'écluse de la Méditerranée se sont ouverts, et de « montant », on est devenu « avalant ». De la brique à la pierre, du maïs à la vigne, du cassoulet à la loubine, de Castelnaudary à Carcassonne, Ensérude et Béziers, le parcours qui nous attend est si riche de paysages superbes, de villes inoubliables, de villages charmants, de châteaux, de bastides, d'église et d'ab-

bayes, d'ouvrages géniaux conçus par Riquet, de tentations gourmandes et de curiosités, le survol des siècles est si enivrant, de l'Antiquité gallo-

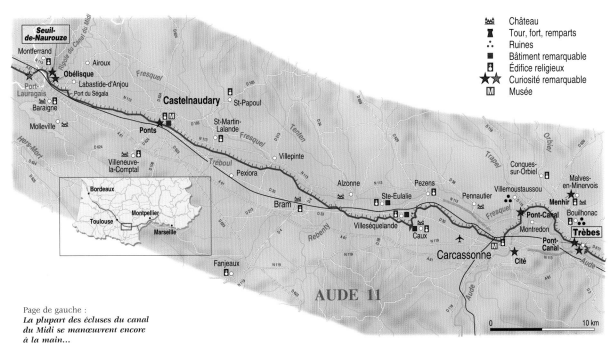

Page de gauche :
La plupart des écluses du canal du Midi se manœuvrent encore à la main...

*Aux abords de certaines écluses,
de véritables villages s'étaient
créés pour accueillir
les voyageurs de la « barque
de poste ».*

romaine au Moyen Age et à la Renaissance, que deux chapitres seront nécessaires pour le décrire...

En aval de l'écluse de la Méditerranée, le relief accentué a exigé un raccourcissement spectaculaire des biefs. En moins de 4 kilomètres, on va en effet franchir quatre écluses – dont une double et une triple – pour une dénivellation totale de 17,23 mètres. Au-delà de l'écluse de La Planque, c'est par un long bief – plus de 4,5 kilomètres – que l'on va atteindre Cas-

telnaudary, l'une des escales majeures du canal, et certainement l'une des plus pittoresques, voire accessoirement l'une des plus gourmandes...

Suivant les plans originels, le canal n'aurait jamais dû passer par cette très ancienne ville, pourtant prospère, peuplée, et de surcroît capitale du comté du Lauragais. Mais Riquet, toujours à l'affût de nouveaux moyens de financement, accepta d'en modifier le tracé contre une participation conséquente – 30 000 livres – consentie par les

CASTELNAUDARY — Ecluses et Moulin St-Roch

consuls de la cité. Lesquels furent d'ailleurs bien inspirés : grâce au creusement, entre 1666 et 1671, d'un bassin de vastes dimensions – 7 hectares, près de 2 kilomètres de circonférence – Castelnaudary, par où allaient désormais transiter d'immenses quantités de vin et de céréales, deviendra le port le plus important du canal entre Toulouse et la Méditerranée, et connaîtra un essor économique sans précédent dans son histoire. Les « avalants » pénètrent dans le Grand Bassin après avoir passé successivement sous le Pont-Neuf (XVIIIᵉ siècle) et le Vieux Pont, bâti lors de l'aménagement du port au XVIIᵉ siècle. À gauche, de ravissantes maisons de mariniers s'alignent sur le quai. À droite, l'île de la Cybèle a été artificiellement créée et plantée d'arbres pour protéger le plan d'eau des coups de vent, qui drossaient les embarcations à la rive, et provoquaient de véritables mini tempêtes capables de couler les plus lourdement chargées. Elle a longtemps été occupée par une guinguette, aujourd'hui disparue…

La ville et ses environs méritent une halte prolongée. À Castelnaudary même, il faut prendre le temps de flâner à travers les places et les rues souvent bordées de très beaux édifices, dont quelques hôtels particuliers de bonne facture, et de se rendre à la collégiale Saint-Michel (XIVᵉ), dont le clocher-porche gothique et Renaissance est particulièrement remarquable, au Présidial – ancien tribunal de la Sénéchaussée (XVIᵉ et XVIIᵉ siècles) – qui abrite un intéressant musée archéologique, et au moulin de Cugarel (XVIIᵉ) – autant pour le panorama que pour la qualité de sa réhabilitation –, dernier survivant de la dizaine de ceux qui, encore au début du siècle, étaient encore en activité sur les hauteurs de la cité.

Castelnaudary vu du Grand Bassin, créé par Riquet, qui fit la fortune de la ville.

L'écluse quadruple de Saint-Roch, à Castelnaudary.

Le moulin à vent de Cugarel (XVIIᵉ siècle) sur les hauteurs de Castelnaudary.

*Du moulin
de Villeneuve-la-Comptal,
près de Castelnaudary,
on découvre un panorama
exceptionnel.*

Aux environs, un site au moins justifie l'effort d'une excursion à bicyclette, sa distance du canal le rendant difficilement accessible à pied, sauf si l'on dispose de beaucoup de temps : Villeneuve-la-Comptal (7 à 8 kilomètres aller et retour) recèle en effet les ruines d'une forteresse médiévale, une très belle église bâtie au XIVᵉ siècle et un moulin à vent du XVIIᵉ...

En aval de Castelnaudary, le relief accentué a imposé aux constructeurs du canal de véritables exploits techniques. Jusqu'à Bram, c'est-à-dire en une quinzaine de kilomètres, douze écluses vont se succéder – dont une quadruple, une triple et une double – afin de rattraper une dénivellation de plus de 46 mètres, tandis que se multiplient les ouvrages d'art : neuf ponts, deux aqueducs, deux épanchoirs et un déversoir... Les biefs sont évidemment très courts : c'est ainsi que 418 mètres seulement séparent les écluses du Vivier et de Guillermin. On va faire sur ce parcours l'apprentissage de la lenteur, et découvrir que sur le canal, le temps ne s'écoule pas au même rythme qu'ailleurs. Qu'importe le nombre de kilomètres additionnés en fin de journée... On comprend vite que l'essentiel est dans une succession de menus plaisirs : négocier au mieux les entrées et les sorties des sas, jouer de la manivelle pour ouvrir et fermer les vantaux, admirer la perfection des ouvrages imaginés par Riquet – la justesse de la courbe des bajoyers, la beauté brute d'une bitte d'amarrage taillée dans la pierre, le charme d'une maison éclusière, l'élégance des arches d'un aqueduc – bavarder un moment avec l'éclusier...

*Le chemin de halage est
aujourd'hui devenu le domaine
des randonneurs
et des pêcheurs...*

La « tour de contrôle » de l'écluse automatique Saint-Roch,
à Castelnaudary, avec aux commandes Henri Pelissier,
agent d'exploitation.

Les éclusiers

Comme les gardiens de phares, ils sont de ceux dont le métier
fait rêver. Qui ne souhaiterait passer une semaine ou un
mois – une vie, pourquoi pas – dans le calme de ces humbles
et ravissantes maisons éclusières où ils vivent encore
souvent ? Leur titre officiel est « agent d'exploitation », mais
tant pis… nous continuerons de les appeler par leur nom
plus poétique d'éclusiers. Sans eux, cette immense machine
hydraulique qu'est un canal ne pourrait pas fonctionner. Car
leur travail va bien au-delà de l'ouverture et de la fermeture
des vantaux et de la surveillance des manœuvres plus ou
moins approximatives des mariniers amateurs :
l'entretien et la réparation des écluses, des berges et des
ouvrages d'art les occupent surtout en période de fermeture
à la navigation.

La rencontre avec les
éclusiers rythme la vie
sur le canal. Il y a les
souriants – presque tous
–, les bougons – très rares
–, les volubiles et les
taciturnes, les sérieux et
les rigolos, ceux qui

Joël Barthès, « éclusier-sculpteur »
à l'Aiguille, près de Puicheric.

peignent, ceux qui sculptent, ceux qui ont transformé leur
écluseen annexe du palais du facteur Cheval ou en mini parc
botanique. Aucun ne laisse indifférent, chacun a quelque
chose à dire, pour peu qu'on ait la politesse élémentaire
de donner un coup de main et qu'on prenne le temps
d'un bavardage.
Disparaîtront-ils un jour ? L'automatisation croissante
des écluses peut-elle être une menace ? Voies navigables
de France tient cependant compte du rôle fondamental
d'animation et d'accueil qu'ils remplissent, maintenant
que le tourisme a pris, sur bien des canaux et des rivières,
le relais de la batellerie professionnelle. Souhaitons en tout
cas que les éclusiers – on en compte encore une soixantaine
sur le canal du Midi – ne rejoignent jamais le grand cimetière
des métiers défunts : les canaux y perdraient une partie
de leur âme…

Certaines écluses sont
de véritables étapes
gourmandes…

Du bon usage des écluses…

Le canal du Midi, le canal latéral à la Garonne, le canal de
Jonction et le canal de la Robine sont ouverts à la navigation
de plaisance du troisième samedi de mars à la première
semaine de novembre. Le reste de l'année comprend une
période dite de « chômage », au cours de laquelle sont menés
les gros travaux d'entretien qui exigent la mise à sec
de certaines sections des canaux, et une période

de navigation « à la demande », pendant laquelle
des particuliers peuvent emprunter les canaux à condition
d'en obtenir l'autorisation préalable.
Les écluses sont ouvertes de 8 h à 17 h 30 en mars et novembre,
de 8 h à 18 h en octobre, de 8 h à 18 h 30 en avril et septembre,
de 8 h à 19 h en mai et de 8 h à 19 h 30 en juin, juillet et août.
Un arrêt est observé entre 12 h 30 et 13 h 30.
Sur le Lot et la Baïse, la navigation est autorisée d'avril
à octobre inclus, et les écluses sont ouvertes de 9 h à 19 h.

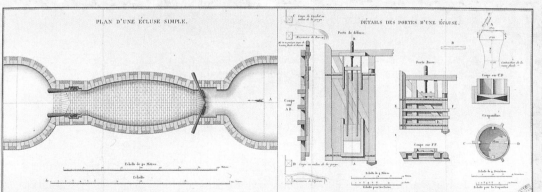

Plan
d'une écluse
simple.
Toulouse,
musée
Paul-Dupuy.
Inv.
n° 67.31.10.
Cliché STC.

Cloître de l'abbaye bénédictine de Saint-Papoul. Les chapiteaux sculptés du XIVe siècle sont particulièrement remarquables.

A droite :
Reliquaire en bois polychrome, abbaye de Saint-Papoul.

Christ du XIIe siècle, abbaye de Saint-Papoul.

Avec ses quatre sas, l'écluse de Saint-Roch, à la sortie du Grand Bassin, est l'un des ouvrages majeurs du canal. C'est là que pour les voyageurs venant de Toulouse par la « voiture de poste » avait lieu la première « couchée ». En témoignent encore des bâtiments tels que l'ancienne hôtellerie, les écuries et la chapelle. Le site a malheureusement été abîmé par une fort vilaine minoterie, construite sur l'emplacement des moulins qui profitaient autrefois de l'importante chute d'eau – 9,42 mètres – se déversant entre les deux biefs. Et si l'agent de service vous y autorise, n'hésitez pas à passer quelques moments avec lui dans cette petite tour de contrôle d'où il commande les éclusées : on apprend beaucoup, y compris et surtout sur les erreurs à ne pas commettre en tant que pilote d'une pénichette.

Après Saint-Roch, c'est à l'écluse de Guerre que l'on pourra marquer une nouvelle étape. À moins de 1 kilomètre se situe en effet le village de Saint-Martin-la-Lande, qui outre une porte d'enceinte sauvée de la destruction de ses anciens remparts, possède une superbe église romane et gothique. Mais c'est surtout la proximité de Saint-Papoul qui justifie cet arrêt. Dans une petite vallée isolée, à 5 kilomètres au nord du canal, cette abbaye bénédictine mérite d'autant plus le détour qu'elle reste, de façon incompréhensible, encore très ignorée des touristes.

Si l'on peut regretter que le village qui l'abrite, où subsistent de très belles maisons et d'intéressants vestiges de fortifications, ait été particulièrement maltraité par de fort vilaines « modernisations », le cloître, dont les

Le village de Sainte-Eulalie, dominé par le clocher roman de son église paroissiale.

chapiteaux des colonnettes jumelées sont sculptés de décors floraux et d'un bestiaire remarquables, et la cathédrale – Saint-Papoul a en effet été dès le XIV siècle le siège d'un évêché – dont le chœur, le narthex et une absidiole datent du XII siècle, sont d'authentiques merveilles de l'architecture religieuse occitane.

En aval de Guerre, et jusqu'au pont de Sainte-Eulalie (P.K. 89), le Canal

traverse des paysages paisibles, tandis que se succèdent sur ses rives des villages souriants et endormis – Pexiora, Villepinte, Bram, Alzonne – qui, s'ils n'offrent guère de richesses architecturales marquantes, peuvent tous être l'occasion d'une agréable promenade. Au passage, on admirera quelques beaux ouvrages d'art, comme l'aqueduc de Tréboul (un peu en amont de l'écluse du même nom), construit à la fin du XVII siècle par Vauban, l'aqueduc de Mezeran (après le P.K. 76), l'aqueduc de Rebenty (entre les P.K. 83 et 84), œuvre de Riquet, et l'aqueduc de l'Espitalet (en amont du P.K. 88). En longeant le port de Bram, on se souviendra que cette petite ville – tellement ravagée au cours des siècles qu'elle n'a gardé, hormis des vestiges de fortifications et une église partiellement gothique, que peu de vestiges de sa longue histoire – fut l'un des berceaux de l'hérésie cathare avant d'être assiégée et prise par Simon de Montfort, qui fit crever les yeux et couper la langue de tous ses habitants. À l'écluse de Béteille, on pourra encore voir l'ancienne auberge où les passagers de la « voiture de poste » en provenance de Toulouse étaient accueillis pour leur deuxième « dînée ». On n'hésitera pas, enfin, à s'amarrer un moment au P.K. 89 pour se rendre à Sainte-Eulalie (700 mètres), un très beau village doté d'une remarquable Maison consulaire et d'une église au clocher roman.

Carcassonne n'est plus qu'à une douzaine de kilomètres et quatre écluses. Ne vous hâtez cependant pas. Avant les merveilles de cette ville de

La Maison presbytérale (XII siècle) de Villesèquelande.

*La Cité de Carcassonne :
un joyau médiéval revisité
par Viollet-le-Duc.*

conte de fées, il vous reste quelques trésors à découvrir. Le canal, qui se met à vagabonder en une succession de brefs méandres, semble d'ailleurs lui-même vous y inviter. C'est ainsi que de l'écluse de Villesèque, vous pourrez accomplir une boucle passant par Villesèquelande (800 mètres) – pour son église romano-gothique et sa Maison presbytérale du XIIᵉ siècle – Pezens (à 2 kilomètres de Villesèquelande) – pour ses ruelles médiévales et son église fortifiée – et Caux (1,5 kilomètre de l'écluse) – pour son château médiéval et Renaissance, son église des XIIᵉ et XIVᵉ siècles et son presbytère du XVIᵉ.

Plus loin en aval, entre les P.K. 101 et 103, l'épanchoir de Foucaud et les aqueducs de Saume et de l'Arnouze comptent parmi les ouvrages d'art les plus intéressants du canal. À l'origine, les édiles de Carcassonne ayant refusé de participer à son financement, celui-ci contournait la ville par le nord

en suivant la vallée du Fresquel. Si cette erreur – démontrée entre autres exemples par l'essor économique de Castelnaudary – fut très vite et très amèrement regrettée, il fallut attendre plus d'un siècle pour la corriger. Ce n'est en effet qu'en 1810, au terme de travaux difficiles et coûteux – creusement dans le roc de nouveaux biefs, construction de déversoirs, d'épanchoirs et d'aqueducs – que le raccordement de la ville basse au canal fut enfin réalisée. C'est ainsi que sur une dizaine de kilomètres en amont et en aval de Carcassonne, le canal sur lequel on navigue n'est plus celui conçu par Riquet. Avant de pénétrer dans la capitale de l'Aude, deux ultimes visites sont à conseiller, la première à Pennautier (2 kilomètres environ de l'écluse de la Douce), un ancien village fortifié où s'élève un très beau château du XVIIᵉ siècle, et à proximité de l'épanchoir de Foucaud, un rare jardin botanique, où prospè-

*L'écluse de Tréboul, à proximité
de laquelle Vauban a fait bâtir
un superbe aqueduc.*

rent plus de 500 espèces de plantes méditerranéennes.

Inutile de confirmer que Carcassonne (Ville Basse en bordure du port, Cité à moins de 2 kilomètres) exige une très longue étape. De la splendeur presque irréelle de la cité, on a tout dit et tout montré. Certes, en la restaurant, Viollet-le-Duc a parfois laissé son imagination l'emporter sur la rigueur historique. Mais du moins l'a-t-il sauvée de l'oubli, et mieux encore, d'une ruine définitive dans l'indifférence générale de ses contemporains. Certes, les marchands du temple ont envahi ses ruelles et ses places, insultant les vieilles pierres par des étalages de laideurs en toc, de pseudo-antiquités et de babioles à peine dignes d'un Disney-land médiéval. Mais il faut croire que c'est l'inévitable revers de la renommée. Rien n'y fait, ni le grotesque petit train secouant ses cargaisons humaines autour des remparts, ni l'amoncellement dans les vitrines criardes d'armures en plastique et de tee-shirts « I Love Carcassonne » : la magie de ces tours et de ces courtines, de ces créneaux et de ces échauguettes, de ces douves et de ces ponts-levis est d'une telle puissance que la vulgarité mercantile l'effleure sans l'entamer.

Le port de Carcassonne, en bordure de la Ville Basse, une bastide édifiée sous le règne de Saint Louis.

Les remparts de la Cité de Carcassonne vus de nuit : un spectacle d'une inégalable magie.

Cette écluse de Fresquel fait partie d'un ensemble postérieur à Riquet. Destiné à relier le canal de Carcassonne au canal du Midi, il est constitué de trois écluses et d'un bassin intermédiaire.

On ne reviendra pas sur ce que doit être une visite de Carcassonne : équipez-vous simplement d'un guide et de chaussures confortables, et laissez-vous aller à une longue flânerie rêveuse au gré des ruelles et des placettes, sur les remparts et les sentiers des Lices. Il n'est que trop évident que vous vous attarderez devant les portes de l'Aude et de Narbonne, au château comtal et à la basilique Saint-Nazaire-et-Saint-Celse, ainsi que dans celles de vingt-six tours qui sont accessibles aux promeneurs. Souvent négligée par les touristes qui n'ont d'yeux que pour la cité, la Ville Basse – une bastide construite au XIIIe siècle par Saint Louis – avec ses rues en damier, ses hôtels particuliers, son Pont Vieux – XIVe siècle – et sa cathé-

Un pont-canal permet au canal du Midi de franchir l'imprévisible torrent du Fresquel.

drale gothique offre un charme paisible auquel vous succomberez d'autant plus facilement que, loin de la foule, elle est encore habitée par de vraies gens menant une vraie vie. Au total, ne prévoyez pas moins de vingt-quatre heures à Carcassonne, et prenez soin d'y arriver plutôt le matin, afin d'avoir une chance de disposer d'une place au port, qui n'en compte qu'une trentaine évidemment fort convoitées.

Au nord-est de Carcassonne, le canal va rejoindre son ancien tracé à la hauteur d'un pont-canal, bâti en 1802 lors des travaux de raccordement afin d'éviter les crues du Fresquel, une rivière particulièrement capricieuse. Immédiatement en aval, les écluses de Fresquel – une double et une simple – sont séparées par le bief le plus court du système des Deux Mers : 250 mètres seulement. À 1,5 kilomètre de la seconde écluse, des hauteurs de Villemoustaussou, un village de plan circulaire qui garde quelques ruines de son ancien château fort, on bénéficie d'une dernière et très belle vue sur la Cité de Carcassonne. Plus éloigné – près de 4 kilomètres – le beau village Conques-sur-Orbiel peut constituer le but d'une brève excursion, tant pour ses vestiges médiévaux que pour son église romano-gothique.

Le canal, qui suit désormais au plus près le cours de l'Aude dans un paysage accidenté décrit un vaste méandre avant de rejoindre Trèbes. Chemin faisant, on pourra faire escale à l'écluse de Villedubert pour se rendre à Bouilhonac (2 kilomètres), dont le site est particulièrement pittoresque, et qui a gardé d'un passé tumultueux – il fut ravagé pendant les guerres de Religion – une intéressante église romane et les ruines d'un châ-

Un majestueux alignement de platanes centenaires ombrage le chemin de halage à l'entrée de Trèbes.

La haute silhouette de l'église gothique Saint-Étienne de Trèbes.

teau fort, et à Malves-en-Minervois, remarquable pour son château du XVI siècle, son église gothique, et accessoirement pour le spectaculaire menhir qui se dresse non loin de son entrée par la route de Carcassonne.

Juste avant Trèbes (entre les P.K. 116 et 117), il faudra admirer un magnifique pont-canal, parfaitement représentatif des améliorations apportées par Vauban à l'œuvre de Riquet. À l'origine, l'Orbiel, un torrent aux crues violentes, traversait le canal par une simple chaussée, ce qui entraînait chaque année des interruptions de trafic et d'importants travaux de remise en état. Bâti en 1688, l'ouvrage franchit avec ses trois arches le cours de l'Orbiel, effaçant l'un des obstacles les plus gênants rencontrés par Riquet entre Toulouse et la Méditerranée.

C'est après s'être glissé sous une somptueuse voûte de platanes de plus de 1 kilomètre que le canal pénètre dans Trèbes, où avait lieu la « couchée » du deuxième jour pour la « voiture de poste » en provenance de Toulouse. Comme beaucoup d'autres localités de la région, cette très antique bourgade située à la confluence de l'Orbiel et de l'Aude a subi les ravages de la croisade des albigeois et des guerres de Religion, avant

de voir disparaître, pendant la Révolution, la presque totalité de ses fortifications. Elle a pourtant gardé beaucoup de charme et quelques beaux souvenirs de son passé, en particulier un admirable pont à cinq arches qui enjambe l'Aude, dont les parties les plus anciennes remontent à l'époque romaine, et une église des XIIe et XIIIe siècles offrant une étonnante rareté : 350 corbeaux peints de figures humaines et animales et de motifs géométriques. Trèbes a en outre représenté une étape importante dans la construction du canal : c'est en effet dans ses murs que s'achevèrent en 1673 les travaux de la « première entreprise », c'est-à-dire du tronçon d'un peu plus de 110 kilomètres creusé à partir de Toulouse en six ans environ. La réalisation de la « deuxième entreprise » – liaison Trèbes-Méditerranée – dont on sait que Riquet ne verra jamais l'aboutissement, se heurtera à d'innombrables difficultés techniques et financières, au point que Colbert envisagera un moment l'abandon du projet. Autant la partie du canal que nous avons parcourue jusqu'à Trèbes a été creusée avec une relative facilité, autant celle que nous allons emprunter désormais a été pour Riquet celle du doute, et parfois même du désespoir.

Le cassoulet de Carcassonne selon Jean-Claude Rodriguez.

Le cassoulet

Rien de plus risqué que d'évoquer cette absolue merveille de gueule. La guerre de Cent Ans n'a duré qu'un siècle. Entre Castelnaudary, Toulouse et Carcassonne, l'armistice de la guerre des cassoulets n'a toujours pas été signée. Laquelle de ces capitales du bien-manger détient la vérité ? Il serait bien imprudent de trancher. Réfugions-nous derrière les généralités : le cassoulet est pour le Robert « un ragoût de filets d'oie, de canard, de porc ou de mouton avec des haricots blancs », préparé et servi dans une « cassole » en grès. Pour le reste, chaque ville, tout en revendiquant la paternité du mets, ajoute ses propres variantes. Les connaisseurs se refusent à établir une hiérarchie, évoquant en toute simplicité la Sainte Trinité. Le « Père » serait le cassoulet de Castelnaudary – le plus ancien et le plus rustique, essentiellement accompagné de porc –, le « Fils » celui de Carcassonne – auquel on ajoute parfois de la perdrix – et le « Saint Esprit » celui de Toulouse – enrichi de saucisse et de chapelure. Notons simplement que le plat étant vraisemblablement antérieur au haricot – qui, rappelons-le, a été rapporté d'Amérique à l'époque des grandes découvertes – il était sans doute originellement à base de fèves. Cela dit, « chacun détient la recette », écrit Jean-Claude Rodriguez, chef du Château Saint-Martin-Trencavel, à Montredon, près de Carcassonne. « Pour ma part, il y a autant de cassoulets que de cuisiniers ou de cuisinières, et pour ne parler à peine que du mien, je dirai qu'il est le meilleur. possible ! »

Le cassoulet aux fèves fraîches selon Dominique Toulousy, chef des Jardins de l'Opéra à Toulouse.

Ingrédients (pour 4 personnes)

1 kilo de fèves fraîches ou surgelées. 1 carotte. 1 oignon. Thym et laurier. 10 gousses d'ail épluchées et hachées. 200 grammes de poitrine de porc salée, coupée en quatre cubes de 50 grammes. 4 cuisses de confit de canard. 4 saucisses de couennes. 4 morceaux de saucisses de Toulouse de 100 grammes chacun. 100 grammes de graisse de canard. 100 grammes de couenne fraîche. 2 litres de bouillon de canard.

Préparation

Ecosser et éplucher les fèves. Blanchir la poitrine et la rafraîchir. Faire suer dans un faitout la graisse de canard, la carotte et l'oignon en mirepoix bordelaise (très petite), puis ajouter les couennes, la poitrine de porc blanchie, mouiller avec le bouillon de canard, plonger le bouquet garni et l'ail haché, et laisser cuire 1 heure environ.
Pendant ce temps, faire colorer le confit de canard, la saucisse de Toulouse et la saucisse de couennes dans une poêle. Ajouter le tout avec les fèves dans le bouillon et laisser mijoter 20 minutes environ.
Rectifier l'assaisonnement si nécessaire, verser dans une cassolette en terre et cuire à four très chaud (thermostat 7-8) pendant 15 minutes afin d'obtenir une pellicule bien dorée. Envoyer aussitôt prêt.

Le cassoulet de Toulouse selon Dominique Toulousy.

Le cassoulet selon Jean-Pierre Poggioli, chef de La Belle Époque à Castelnaudary.

Ingrédients (pour 5 personnes)

1 kilo de haricots secs (lingots de préférence). 2 cuisses d'oie confites. 1 kilo de saucisses fraîches pur porc. 1 livre d'échine de porc confite. 1 os de jambon de pays. Fond blanc (bouillon de viande). Sel, poivre, bouquet garni, 100 grammes d'ail.

Préparation (24 heures à l'avance si possible)

Trier les haricots et les tremper à l'eau froide pendant 10 heures. Les mettre dans une casserole à fond plat et les mouiller avec 3 litres de fond, ajouter 15 grammes de sel, 5 grammes de poivre blanc, le bouquet garni, 100 grammes d'ail haché dans la graisse d'oie, l'os de jambon. Porter à ébullition et laisser mijoter 2 heures.
Mettre un peu de haricots au fond d'une cassolette en terre cuite, disposer saucisse, échine et cuisses d'oie, chaque viande étant coupée en six morceaux, et terminer avec le reste de haricots.
Mouiller avec le jus de cuisson et gratiner à four doux pendant 4 heures.

Le cassoulet de Castelnaudary selon Jean-Pierre Poggioli.

De Trèbes à
l'étang de Thau

Suivant d'abord longuement le cours de l'Aude qu'il abandonnera un peu avant Port-la-Robine, puis rejoignant brièvement celui de l'Orb au pied de l'acropole de Béziers, avant de retrouver l'Hérault aux environs d'Agde, le canal entame à Trèbes une ultime et lente descente vers la Méditerranée, dont le séparent encore une vingtaine d'écluses et près de 90 mètres de dénivelé. Son tracé devient extraordinairement capricieux, ses méandres – véritables épingles à cheveux, parfois – se multiplient, tandis que sur ses rives défilent des paysages de plus en plus lumineux, qu'apparaissent les vignes et les oliviers, que se succèdent les merveilles architectu-

rales – Ensérune, Béziers, Agde – et que naît bientôt le chant des cigales. Jamais le génie de Riquet ne s'est déployé avec tant d'audace. Il sait que le temps lui est compté, que ses détracteurs guettent le moindre faux pas. Alors il ose tout, et réussit tout : le souterrain de Malpas ou l'écluse septuple de Fonserannes sont en eux-mêmes des chefs-d'œuvre dans ce chef-d'œuvre qu'est le canal.

Après l'écluse triple qui marque la sortie de Trèbes, le canal se fraie un chemin à travers les beaux paysages accidentés de la vallée de l'Aude. Les ingénieurs ont rencontré là de très rudes obstacles, devant par exemple faire sauter des pans entiers de

Page de gauche :
*Une péniche de loisir
à l'écluse de Marseillette.*

Château
Tour, fort, remparts
Ruines
Bâtiment remarquable
Édifice religieux
Curiosité remarquable
Musée

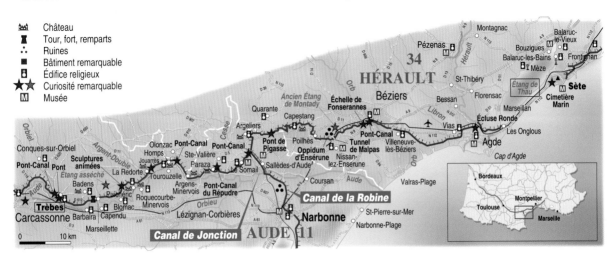

L'écluse de Marseillette.

falaises pour lui ménager un passage et multiplier les ouvrages d'art : sur le bief de 9 kilomètres qui conduit à l'écluse de Marseillette, on compte en effet cinq ponts, deux aqueducs, un épanchoir et un déversoir. On pourra observer un arrêt à Marseillette, certes pour le village lui-même, qui possède quelques vestiges de ses anciennes fortifications et une tour Chappe, mais surtout pour l'immense étang asséché – 2 000 hectares – dont le drainage, commencé sous Henri IV, se poursuivit jusqu'au début du XIXᵉ siècle, et dont subsiste un spectaculaire quadrillage de canaux. En prenant un peu plus de temps, on pourra également se rendre, au sud, à Capendu (2 kilomètres) – pour son exceptionnelle chapelle romane Saint-Martin – et à Barbaira (5 kilomètres) – pour le charme de ses ruelles médiévales et son église des XIIIᵉ et XIVᵉ siècles – ou enfin, au nord, à Badens (3,5 kilo-

mètres), pour les vestiges de son château fort et son église gothique. À l'écluse triple de Fonfile, qui succède à celle de Marseillette, il n'est pas rare que le trafic impose un peu d'attente ; ce peut être l'occasion de jeter un coup d'œil à l'exceptionnelle église Saint-Étienne de Blomac (1,5 kilomètre environ).

Deux biefs et 3 kilomètres plus loin, que l'on vous ait averti ou non, vous passerez inévitablement un moment à l'écluse de l'Aiguille : comment en effet ne pas être fasciné par l'humour et l'inventivité des sculptures animées dont l'éclusier a peuplé les berges et les quais de son petit domaine ? Ce poète disert et charmeur a en tout cas su faire de son écluse l'une des étapes les plus inattendues du canal. À proximité, vous ne manquerez pas de visiter le village de Puichéric (1 kilomètre) qui, à côté de quelques très belles demeures médiévales, conserve un superbe château

L'église de Puichéric, reconstruite au XIVᵉ siècle après avoir été incendiée par le Prince Noir.

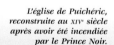

Roquecourbe-Minervois élève sa superbe architecture au cœur du vignoble de l'Aude.

Le donjon d'Escales (xɪ siècle).

ceint de remparts et une intéressante église gothique. Un peu plus loin (1,5 kilomètre de Puichéric), et se dressant au milieu des vignes, Roquecourbe-Minervois vaut l'effort du détour pour son château et sa chapelle castrale du xvᵉ siècle. C'est ensuite à La Redorte, où le canal dessine deux méandres brutaux, que l'on pourra admirer - outre le château qui domine le village où se tenait la « dînée » du troisième jour - les deux ouvrages de l'Argentdouble, qui comptent parmi les plus beaux du Canal. Le premier que l'on découvre, à 1 kilomètre environ en aval de La Redorte, est un épanchoir construit par Vauban en 1693, long de cinquante mètres, et auquel ses onze arches confèrent une élégance exceptionnelle. Le second est un aqueduc qui permet le

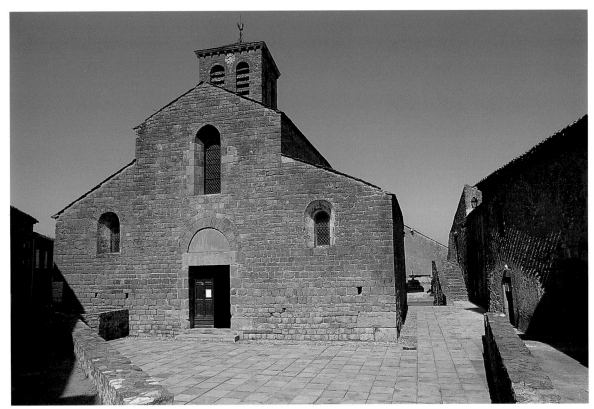

L'église Saint-Martin-des-Tours, à Escales. Sa construction daterait du xᵉ siècle.

61

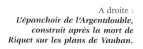

Le port d'Homps fut jusqu'à la fin du XIXᵉ siècle l'un des plus importants du canal.

franchissement du torrent de l'Argentdouble, un affluent de l'Aude aux crues dévastatrices, qui fut édifié après la mort de Riquet, vers 1688, en remplacement d'une simple chaussée.

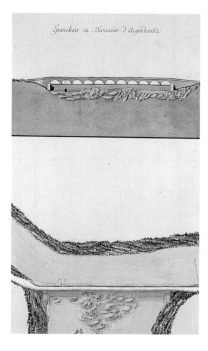

A droite :
L'épanchoir de l'Argentdouble, construit après la mort de Riquet sur les plans de Vauban.

Epanchoir de l'Argentdouble.
VNF - Direction Régionale du Sud-Ouest - Archives des Canaux du Midi.
Photo Jean-Luc Auriol.

En aval de l'Argentdouble, on franchit successivement l'écluse, puis l'aqueduc de Jouarrès avant d'atteindre le port d'Homps, qui fut pendant trois siècles l'un des plus importants du canal. Si le bourg, ancienne commanderie des chevaliers de Malte, a été ruiné à plusieurs reprises, notamment lors de la croisade des albigeois et des guerres de Religion, il a cependant gardé une tour de son ancien château et surtout une fort belle chapelle romane. À 3 kilomètres environ, le village de Tourouzelle mérite une brève excursion, tant pour

le charme de son cadre que pour le pittoresque intact de ses ruelles médiévales.

En aval d'Homps, le canal continue de suivre au plus près le cours de l'Aude, dont ne le séparent parfois que quelques dizaines de mètres. Le relief accidenté a exigé d'importants travaux. C'est ainsi qu'en moins de 4 kilomètres se succèdent deux écluses doubles, quatre ponts et surtout trois ponts-canaux – L'Ognon, Bassane et Pechlaurier – construits postérieurement à Riquet pour remplacer des chaussées qui entraînaient fréquemment l'ensablement du canal. Après l'écluse de Pechlaurier, on ne manquera de s'arrêter à Argens-Minervois, qui avec la silhouette superbe de son château du XIVᵉ siècle – malheureusement fort mal entretenu – constitue sans aucun doute l'une des étapes les plus photogéniques du parcours. À la sortie du village, l'écluse d'Argens est avec un trafic de 11 000 bateaux par an

la plus fréquentée du canal. Mais elle constitue surtout la porte d'entrée du plus long bief – 53,490 kilomètres – de tout le canal des Deux Mers. Jusqu'à Béziers et au majestueux escalier d'eau de Fonserannes, on ne rencontrera plus d'écluses. En revanche, on pourra admirer quelques-uns des ouvrages d'art les plus audacieux jamais conçus par Riquet. Tout en respectant scrupuleusement les règles de navigation, on pourrait certes parcourir ce bief en moins d'une journée. Mais quel gâchis : il y a tant à voir que c'est au contraire à une très lente flânerie qu'il faut se préparer.

Si l'on ne peut envisager de s'arrêter dans tous les villages riverains du canal, au moins marquera-t-on une étape, même brève, pour visiter les plus pittoresques et les plus chargés d'histoire.

C'est le cas par exemple de Paraza, blotti au pied de son château du XVIIᵉ siècle, et un peu à l'écart (3 kilo-

Le village d'Argens-en-Minervois et les tours massives de son château du XIVᵉ siècle.

*Plaque en hommage à Riquet
sur le pont-canal de Répudre.*

mètres), de Sainte-Valière, un bourg
médiéval dominé par un beffroi, vestige de son ancienne forteresse, et
qui possède une belle église romano-
gothique. En aval de Paraza, à moins
de 1 kilomètre, dans la courbe brutale d'un méandre en épingle à cheveux, s'élève l'un des ouvrages les
plus étonnants du canal. À la stupeur
de ses contemporains, Riquet a ici
osé bâtir, pour franchir le lit du
Répudre, un torrent particulièrement imprévisible et violent, ce qui
pourrait bien être le premier pont-
canal du monde. Cette invention
marque un tournant : Vauban en uti-
lisa largement le concept lors des travaux d'amélioration qu'il mena après
la mort de Riquet, et après lui tous
les bâtisseurs de canaux.

Sept kilomètres après le pont-canal
du Répudre, Le Somail est l'une des
escales les plus charmantes du bief.
Avec son pont en dos d'âne, sa chapelle et sa vénérable hostellerie, ce

*Le pont-canal de Répudre,
chef-d'œuvre de Riquet,
passe pour être le plus ancien
du monde.*

La librairie ancienne du Somail, l'une des attractions du canal.

petit village ressemble sans doute à ce qu'il était il y a trois siècles, quand il accueillait la « couchée » du troisième jour. Les navigateurs d'aujourd'hui maintiennent d'ailleurs la tradition, d'autant plus volontiers que les terrasses des auberges gourmandes qui bordent ses quais et les curiosités que constituent sa librairie ancienne et son bizarre musée du Chapeau lui donnent des attraits irrésistibles.

C'est à un peu plus 2 kilomètres du Somail, juste en aval de Port-la-Robine – où rien n'encourage à s'attarder, excepté les nécessités matérielles telles que plein d'eau ou de gasoil – que se

Le port du Somail, où avait lieu la « couchée » du troisième jour, perpétue avec ses auberges et ses restaurants une tradition d'accueil séculaire.

La paix d'une halte... Sur le canal, le temps semble s'écouler plus lentement qu'ailleurs...

situe l'embranchement du canal de jonction, creusé en 1787 pour relier le canal du Midi et le canal de la Robine. Deux superbes ouvrages le précèdent : l'épanchoir des Patiasses, tout d'abord, un mur percé de voûtes permettant, grâce à un système de vannes de fond, d'évacuer les eaux de crues vers le lit de

la Cesse ; le pont-canal de Cesse, ensuite, bâti après la mort de Riquet, et qui avec ses 20 mètres de hauteur et ses 63 mètres de longueur, est l'un des plus importants du canal.

À partir de Cesse et jusqu'à Béziers, le canal semble hésiter sur le chemin à suivre, obliquant d'abord en ligne

La beauté simple et pure du pont d'Argeliers...

CANAL DU MIDI

droite vers le nord – cette section d'un peu plus de 2,5 kilomètres, creusée dans une roche très dure, fut très difficile à réaliser – se ravisant ensuite pour partir vers l'est, puis plongeant vers le sud avant de reprendre la direction de la Méditerranée, multipliant alors les courbes, les méandres et les crochets les plus abrupts, comme s'il voulait s'ingénier à prolonger encore la longueur inusitée du Grand Bief, à laisser aux navigateurs le temps de goûter la beauté des paysages qu'il traverse et de faire escale dans quelques sites exceptionnels.

C'est ainsi qu'on ne manquera pas de s'amarrer au port d'Argeliers, un village médiéval qui outre le charme de ses ruelles offre d'intéressants vestiges de ses remparts et de son château fort, de même qu'une impressionnante église fortifiée. Six kilomètres plus loin, juste en aval du

P.K. 178, on remarquera le très bel ensemble, contemporain de la construction du canal, constitué par le pont de Pigasse et les maisons anciennes qui se dressent sur la rive gauche. De là, les amateurs d'art religieux n'hésiteront pas à franchir les 4 kilomètres qui mènent à Quarante, où s'élève l'admirable église Sainte-Marie, bâtie aux XIe et XIIe siècles, qui abrite un mobilier et un trésor – sarcophage, reliquaire et châsses – d'une grande richesse.

Après le pont de Pigasse, le cheminement du canal devient de plus en plus erratique, tandis que se multiplient les aqueducs – on en compte sept en 8 kilomètres, dont celui de Quarante (en amont du P.K. 179), construit par Vauban en 1693 –, ce qui en dit long sur les difficultés du terrain. En aval de Capestang – une superbe bourgade dominée par la collégiale gothique Saint-Étienne et le château des Archevêques de Narbonne – il a même été construit en surplomb de la plaine, ce qui pour

Le canal près de Capestang.

La haute silhouette de la collégiale Saint-Étienne signale au loin le village de Capestang.

*Le tunnel de Malpas, que
Riquet fit creuser en secret
contre l'avis de Colbert.*

l'époque représente un véritable défi technique, non sans risque cependant, puisqu'en 1744, en aval de Poilhès, un glissement de terrain emporta le canal sur près de 300 mètres. C'est d'ailleurs tout près de là que Riquet devait rencontrer l'un des plus redoutables obstacles qu'il ait eu à vaincre, la colline de Malpas, qui, se dressant perpendiculairement au tracé retenu, paraissait infranchissable. Pressé par le temps, pris à la

*Sans ce tunnel, le canal
n'aurait sans doute jamais
été achevé...*

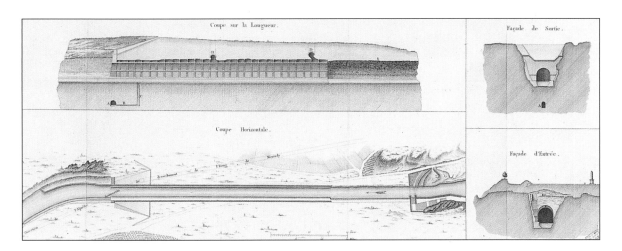

Coupe sur la Longueur.

Coupe Horizontale.

Façade de Sortie.

Façade d'Entrée.

gorge par le manque d'argent, et ne voulant pas envisager un long et coûteux contournement, il décida d'y percer un tunnel. Mais les premiers coups de pioches révélèrent un sous-sol si friable que Colbert, charitablement informé par les ennemis de Riquet des dangers que présenterait un tel ouvrage, à supposer qu'on puisse en venir à bout, fit arrêter le chantier. C'est alors que Riquet démontra l'étendue de sa détermination : faisant mine d'obtempérer, il réunit une équipe chargée de continuer clandestinement les travaux. Il

fallait faire vite, car la cabale guettait. Et c'est en effet dans le temps à peine croyable d'une semaine que la colline fut percée par un tunnel long de 165 mètres, dont la voûte s'élevant à 8 mètres au-dessus du « miroir », consolidée par une succession d'arcs de soutènement, se révéla parfaitement sûre. Mis devant le fait accompli, Colbert s'inclina, et Riquet triomphant fut applaudi de tous. Il venait d'ouvrir le premier tunnel de navigation du monde, et, ce qui comptait plus encore pour lui, de gagner le droit de poursuivre son œuvre.

Voûte du tunnel de Malpas
Toulouse, musée Paul-Dupuy.
Inv. n° 67.11.18. Cliché STC.

Dans la région de Poilhès, les difficultés du terrain exigèrent des travaux colossaux...

L'oppidum d'Ensérune, l'un des sites archéologiques majeurs du midi de la France.

À quelques centaines de mètres du tunnel de Malpas, l'oppidum d'Ensérune, qui sur son éperon rocheux domine de plus de 100 mètres le canal et la plaine bitteroise, est l'un des hauts lieux de l'archéologie languedocienne. Les fouilles ont permis d'y mettre au jour des vestiges remarquablement préservés des civilisations qui s'y sont succédé durant sept siècles, ibère, grecque, gauloise et romaine. Vraisemblablement détruit à plusieurs reprises, dont une fois au IIIe siècle avant J.-C. par Hannibal, puis connaissant une réelle prospérité à partir de l'installation des Romains, l'oppidum restera occupé jusqu'au I^e siècle de notre ère avant d'être définitivement déserté, la « Pax romana » ayant conduit les populations de la Narbonnaise à abandonner leurs sites défensifs.

Du sommet du promontoire, la vue embrasse, entre les Cévennes et la mer, un panorama superbe. En contrebas, au nord, on remarquera la très curieuse géométrie de l'ancien étang de Montady, asséché au milieu du XIIIe siècle. Presque parfaitement circu-

Coupe sur la longueur des écluses de Fonceranne

*Coupe de l'écluse
de Fonceranne.*
Toulouse, musée Paul-Dupuy.
Inv. n° 67.38.10. Cliché STC.

laire, il est divisé en parcelles par des canaux de drainage convergeant de la circonférence au centre, ce qui lui donne l'aspect d'une immense roue de charrette couchée sur la plaine.

En quittant l'oppidum, il serait dommage de ne pas consacrer une visite à Nissan-lès-Ensérune, qui possède une remarquable église gothique (XIVᵉ siècle) et un intéressant petit musée d'archéologie et d'art sacré.

La fin du Grand Bief est bientôt proche. Ses derniers méandres ménagent une lente approche vers l'« échelle » de Fonserannes, cet étonnant chef-d'œuvre, comparable par son caractère novateur au pont-canal de Répudre ou au tunnel de Malpas, et que Riquet légua à sa ville natale.

*Eglise du XIIIᵉ siècle
de Nissan-lès-Ensérune.*

S'était en effet posée, aux portes mêmes de Béziers, une difficulté considérable : la nécessité de franchir en quelques centaines de mètres un dénivelé de près de 25 mètres, afin d'at-

*L'ancien étang de Montady,
asséché au Moyen Age, avec
ses canaux de drainage
en rayons de roue.*

*L'escalier de Fonserannes :
malgré quelques modifications,
l'une des œuvres les plus
audacieuses de Riquet n'a rien
perdu de sa majesté.*

teindre le cours de l'Orb, qui contourne la ville par le sud. Riquet imagina alors de créer un colossal escalier d'eau de huit marches, c'est-à-dire de huit écluses, permettant de « racheter » la différence de niveau. Les bateaux venant de Toulouse descendaient ainsi marche à marche l'escalier, puis empruntaient brièvement l'Orb – dont la hauteur d'eau était régulée par un barrage – avant de retrouver le canal sur la rive opposée, ceux venant de la mer effectuant évidemment l'opération inverse. Il existait certes déjà quelques écluses multiples, mais par son gigantisme, l'échelle de Fonserannes constitua une « première » mondiale qui stupéfia les contemporains, et dont l'audace conceptuelle étonne encore aujourd'hui. Aussi court soit-il, le passage sur l'Orb, dont les sautes d'humeur sont fréquentes et imprévisibles, présentait cependant de réels dangers qui obligeaient parfois à interrompre le trafic. Mais il fallut attendre près de deux siècles pour que soit décidée la construction d'un pont-canal, qui entraîna, outre la modification du

tracé antérieur, la suppression de l'écluse inférieure, et le déclassement du bief qui la précède, le « canalet » de Notre-Dame. Inauguré en 1857, le pont-canal de l'Orb, admirable d'élégance avec ses arches multiples et ses parements de pierre taillée, fait honneur aux successeurs de Riquet. Plus en tout cas que la « pente d'eau » à traction électrique construite en 1983, qui était censée sinon se substituer totalement aux sept écluses, du moins permettre un passage plus rapide – 6 minutes au lieu de 40 – mais dont les coups d'exploitation et des besoins de fiabilisation limitent momentanément le fonctionnement.

Béziers est sans doute moins vivante que Toulouse, moins féerique que Carcassonne. Mais elle est si belle – découvrir, au-delà des arches du Pont Vieux reflétées dans l'Orb, la haute silhouette de la cathédrale dominant l'acropole est chaque fois un éblouissement –, elle respire à ce point la douceur de vivre – ce qui n'exclut pas une passion violente et toute méridionale pour le rugby, la tauro-

*Béziers. Les neuf écluses
sur le canal du Midi.*

72

Béziers. Le pont-canal.

machie et le vin ! – que l'on s'y attarde chaque fois avec bonheur. Son histoire a pourtant été tumultueuse et souvent tragique. C'est ainsi que pendant la croisade des albigeois, les catholiques de la ville ayant refusé de livrer les cathares, les croisés se livrèrent à un effroyable massacre, au cri de « Tuez-les tous, Dieu reconnaîtra les siens ». Malgré les sièges, les incendies et les

Le pont-canal de Béziers, bâti au milieu du XIXe siècle, est, avec ses 240 mètres de long, le plus important du canal.

La cathédrale Saint-Nazaire et la vieille ville de Béziers vues des bords de l'Orb.

Statue de Paul Riquet à Béziers.

pillages, elle a gardé d'innombrables richesses architecturales. On ne manquera pas de flâner dans ses quartiers anciens, de visiter la cathédrale Saint-Nazaire, la basilique Sainte-Aphrodise, les églises de la Madeleine et Saint-Jacques, d'admirer le panorama du jardin des Évêques, de rêver un moment dans les bosquets du plateau des Poètes, et bien sûr, de s'attabler à une terrasse des allées Pierre-Paul-Riquet, où bat nuit et jour le cœur de la ville. Car Béziers ne s'est pas montrée ingrate à l'égard du plus génial de ses enfants, en donnant son nom à cette magnifique promenade – qui rappelle un peu les « ramblas » barcelonaises – et en lui élevant une statue.

En aval de Béziers, et pour la trentaine de kilomètres qui lui restent à parcourir jusqu'à l'étang de Thau, le canal va se frayer un chemin dans les basses

plaines qui bordent la Méditerranée, se rapprochant même de la côte à moins de 1 200 mètres. Son tracé devient moins erratique, ses méandres moins nombreux, comme s'il avait hâte désormais d'en finir. Non que la nature ait cessé de dresser des obstacles, d'ailleurs. C'est ainsi que Riquet dut mobiliser toutes les ressources de son imagination pour résoudre le problème de la traversée du Libron (P.K. 225). Ce cours d'eau modeste, mais sujet à des crues violentes, ne pouvait être franchi par un aqueduc, le niveau du canal au-dessus de la mer – 2 mètres environ – étant désormais trop faible. La solution trouvée est d'une extrême ingéniosité : en période de basses eaux, le Libron s'écoulait par un chenal aménagé sous le canal, de part et d'autre duquel deux murs avaient été élevés. En cas de crue, une barge pontée était coulée entre ces deux murs, perpendiculairement au torrent dont les eaux franchissaient désormais le canal par-dessus les deux murs et le pont de la barge. Le système actuellement visible date de 1855, et tout en reprenant le même principe – créer pour les eaux de crue du Libron

Le système du Libron, dont l'ingéniosité suscite encore aujourd'hui l'admiration.

un lit artificiel au-dessus du canal – permet de ne pas interrompre la navigation : un système constitué de deux jeux de caissons mobiles peut former une sorte de toit qui devient le nouveau lit du Libron. Ces deux « bâches » peuvent être déployées indépendamment, grâce à des vannes qui dirigent alternativement le flot vers l'une – la seconde étant alors rangée – puis vers l'autre – la première étant à son tour repliée – permettant ainsi au bateau de progresser comme d'un sas à un autre.

Entre Béziers et l'étang de Thau, quelques escales s'imposent, à Villeneuve-lès-Béziers, tout d'abord, pour le pittoresque de ses ruelles et le clocher fortifié (X-XIVᵉ) de son église Saint-Étienne, à Portiragnes et à Vias, ensuite, pour leurs « églises noires »,

L'église de Vias, construite en pierres de lave noire, abondante dans la région.

*Les rives de l'Hérault à Agde,
une ville touchée par la grâce
sous la lumière
méditerranéenne...*

caractéristiques de l'architecture religieuse de la région, à Agde, enfin et
surtout, tant cette ville, fondée il y a
vingt-cinq siècles par les Grecs pho-
céens, offre de splendeurs architecturales. Avant que les alluvions apportées par le Rhône ne modifient le

tracé de la côte – son ancien port est
désormais à 4 kilomètres de la mer –
et que la concurrence de Montpellier,
d'Aigues-Mortes et de Sète ne la ruine,
elle fut longtemps l'une des cités les
plus prospères de la Méditerranée
occidentale. Comme si elle demeurait

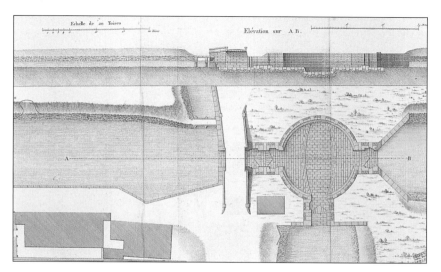

*Plan et élévation
de l'écluse d'Agde.*
Toulouse, musée Paul-Dupuy.
Inv. n° 67.31.13. Cliché STC.

Unique en son genre, l'écluse ronde d'Agde...

inconsolable de sa gloire révolue, Agde semble porter le deuil. Mais la « perle noire du Languedoc » a beau s'être habillée de sombre – c'est dans une roche volcanique aux couleurs de cendre qu'elle a été bâtie – elle reste pourtant étonnamment lumineuse et gaie. Dans ses ruelles imprévisibles et ses placettes fleuries, sur ses quais joyeux où des maisons bancales se mirent dans l'Hérault, aux abords mêmes de sa cathédrale Saint-Étienne à l'harmonie pourtant si sévère, tout respire la grâce, à l'image de l'Éphèbe de bronze livré en 1964 par les vases du fleuve, convoité par tous les musées du monde, mais dont elle ne s'est jamais séparée, et qui est aujour-d'hui son emblème. Et la beauté appelant la beauté, ce n'est sans doute pas l'effet du hasard si Riquet a imaginé pour Agde un ouvrage unique en son genre, la fameuse « écluse ronde », dont le dessin a malheureusement été abîmé par de malencontreux travaux de modernisation, mais qui demeure l'une des plus remarquables du canal.

En aval d'Agde, les senteurs marines et les envols de flamants roses annoncent la fin d'un long parcours. Encore deux écluses, et après un dernier méandre apparaissent le phare des Onglous, qui signale l'arrivée dans l'étang de Thau, et au-delà, les hauteurs de Sète, où s'achève en apothéose l'œuvre de Pierre-Paul Riquet.

Le phare des Onglous signale l'entrée dans l'étang de Thau.

Le port des Onglous, où les bateaux doivent parfois se réfugier quand le mistral souffle sur l'étang de Thau.

L'étang de Thau

Il est certes le plus vaste – 8 000 hectares – de la côte languedocienne, mais ce n'est après tout qu'un étang.

Et pourtant… Les passagers de la « voiture de poste » qui, après quatre jours de voyage, apercevaient le phare des Onglous, pouvaient se croire presque arrivés à Sète. C'était sans compter sans les colères que le mistral peut y déchaîner, et qui les contraignaient parfois à patienter plusieurs jours à l'abri du canal. Il fallut attendre le milieu du XIXe siècle pour que la mise en service de bateaux à vapeur permette d'en assurer la traversée par tout temps. Aujourd'hui encore, la plus grande prudence est recommandée aux navigateurs, qui ne sont pas autorisés à s'y engager quand le vent dépasse les 26 nœuds. Séparé de la Méditerranée par un mince cordon littoral long de 20 kilomètres, l'étang de Thau est en fait une véritable petite mer intérieure, avec ses plages, ses ports – Balaruc-les-Bains, Bouzigues, Marseillan, Mèze –, sa flotte et ses pêcheurs. Depuis l'Antiquité, les habitants de ses rives tirent une grande partie de leurs ressources de la conchyliculture. Les Romains étaient déjà friands des huîtres plates qui

Huîtres de Bouzigues.

y prospéraient à l'état sauvage. Mais la fragilité du milieu a entraîné au cours des siècles de nombreuses épidémies – la dernière d'importance remonte à 1971 – qui ont fait disparaître les huîtres indigènes. Celles qui sont aujourd'hui commercialisées sous le nom de « Bouzigues » sont des creuses issues d'une souche japonaise très résistante. Elles sont élevées suivant une technique particulière - la suspension sur table de culture - adaptée à l'absence de marées : immergées 24 heures sur 24, elles atteignent leur maturité en 12 à 20 mois, soit avec un an d'avance sur les huîtres de l'Atlantique ou de la Manche.

Les petites villes riveraines ont beaucoup de charme. On ne manquera pas de visiter Balaruc-les-Bains – pour les vestiges de sa basilique du IIIe siècle et son pavillon Sévigné du XVIIIe –, Balaruc-le-Vieux - pour son site superbe sur un éperon rocheux et son église du XIVe –, Bouzigues – pour son musée de l'Étang –, Mèze – pour son église gothique -, et surtout Marseillan, le plus délicieux des ports de l'étang, qui abrite les très curieux chais Noilly-Prat : c'est dans des milliers de fûts de chêne exposés aux intempéries entre les murs d'une immense cour fermée que le célèbre apéritif achève son mûrissement.

Les chais en plein air de Noilly-Prat.

Village de pêcheurs de la Pointe-Courte à Sète.

Le port de Marseillan, l'un des plus charmants de l'étang de Thau.

*Le quai du canal Royal à Sète. Ville nouvelle, voulue par Riquet qui en fit sa « troisième entreprise »,
elle fut construite pour servir de débouché méditerranéen au canal du Midi.*

Sète

D'où lui vient son infinie séduction ? Comparée à ses belles voisines et rivales, Agde et Aigues-Mortes, Sète n'offre ni
le prestige d'une longue histoire, ni la splendeur de monuments exceptionnels. Dans une région où le moindre village peut
revendiquer un passé plusieurs fois millénaire, la « Venise du Languedoc », bâtie à partir de 1666, fait figure de ville
nouvelle. Certes sont attestés sur son site l'existence d'une implantation gallo-romaine, puis d'une bourgade médiévale.
Mais de ville, point. C'est à l'ensablement progressif d'Agde, d'Aigues-Mortes et de Narbonne, à la volonté de Colbert de doter
la France d'un puissant port méditerranéen, et à celle de Riquet d'offrir un débouché au canal du Midi – ce fut
sa « troisième entreprise » – que Sète doit l'existence. Peut-être est-ce là son secret : dernière née des villes portuaires
languedociennes, elle a les couleurs, la gaîté et la fraîcheur de la jeunesse.
Ne cherchez pas à Sète d'églises bouleversantes ou d'hôtels particuliers sublimes. Ses arguments sont ailleurs. Dans ses
senteurs d'iode et de garrigue, dans sa lumière, dans l'atmosphère de fête permanente de ses quais, dans l'invraisemblable
beauté des panoramas que l'on découvre des hauteurs du mont Saint-Clair, dans le charme poignant des cimetières marins
où reposent Paul Valéry et Georges Brassens.
Comment s'en étonner ? Si Sète est une ville de poètes, c'est parce qu'elle est elle-même une ville-poème.

*La tombe de Paul
Valéry au cimetière
marin de Sète.*

*Sète. Le pont tournant
du Chemin de Fer.*

Du canal du Midi
aux canaux du Midi

S'il est incontestable que l'ambition de Riquet – relier par voie d'eau l'Atlantique à la Méditerranée – avait été couronnée de succès, force est de reconnaître que la création du canal du Midi était loin d'avoir résolu tous les problèmes de trafic. C'est ainsi qu'à Toulouse, la nécessité d'emprunter la Garonne pour rejoindre la Gironde et Bordeaux impliquait une rupture de charge, les barques du canal ne pouvant emprunter ce fleuve rapide et dangereux, sur lequel la navigation devait par ailleurs être fréquemment interrompue. Le même type de problème continuait de se poser en Méditerranée : du Rhône,

L'écluse d'Escudies, sur le canal latéral de la Garonne.

Port-la-Nouvelle, débouché maritime du canal de la Robine.

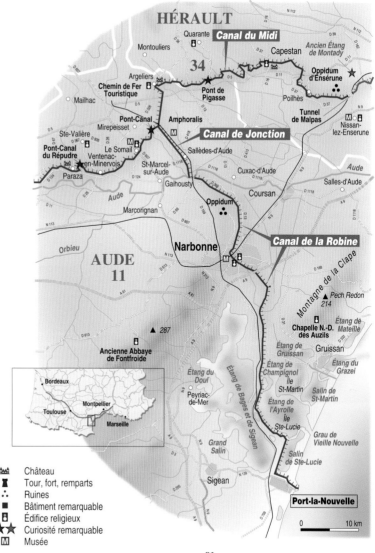

Château
Tour, fort, remparts
Ruines
Bâtiment remarquable
Édifice religieux
★★ Curiosité remarquable
Ⓜ Musée

Page de gauche : *Entrée du canal du Rhône à Sète, près de l'étang d'Ingril.*

*Péniches sur le canal
de la Robine à Narbonne.*

voie royale du commerce fluvial entre l'Europe du Sud et l'Europe du Nord, jusqu'à Sète, porte d'entrée du canal, il fallait recourir à une liaison maritime, et par conséquent supporter la perte de temps et le surcoût d'un double transbordement. Enfin, la préférence donnée au tracé Béziers-Agde-Sète avait laissé Narbonne à l'écart, privant le canal de l'excellent débouché de Port-la-Nouvelle. Aussi bien Riquet que Vauban avaient pris la mesure de ces lacunes. Mais il ne pouvait être question, après les colossaux efforts humains et financiers qu'avait exigée la réalisation du seul canal du Midi, de lancer la construction de nouvelles voies d'eau artificielles, à la rentabilité considérée de surcroît comme incertaine. Il faudra attendre presque deux siècles après la mort de Riquet pour que les mises en service successives du canal de jonction, du canal de la Robine, du canal du Rhône à Sète et du canal latéral à la

Garonne consacrent l'achèvement définitif de la liaison entre les Deux Mers.

Le canal de Jonction et le canal de la Robine

La préférence donnée par Riquet au tracé Béziers-Agde-Sète avait été une véritable catastrophe économique pour Narbonne, d'autant plus difficile à accepter aux yeux de ses habitants que la ville disposait déjà d'une solide tradition en matière de voies navigables artificielles. C'est en effet à l'époque romaine qu'un premier canal avait été construit jusqu'à la mer à travers l'étang de Sigean, permettant à Narbonne de devenir l'un des grands ports de la Méditerranée. Au Moyen Age, à la suite d'un changement de lit, l'Aude s'étant détournée de la ville, les Narbonnais avaient creusé à partir de Gailhousty une rigole afin d'assurer leur alimentation en eau potable, puis l'avaient élargie pour la rendre

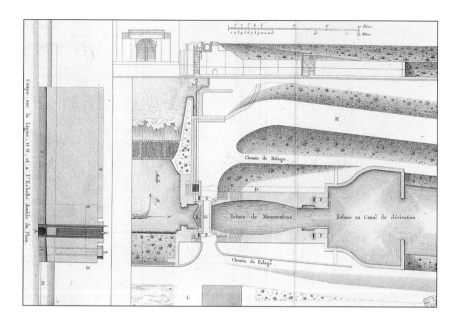

*Plan et coupe de l'écluse
de Moussoulens.*
Toulouse, musée Paul-Dupuy.
Inv. n° 67.31.15. Cliché STC.

navigable. Ce canal de la Robine formait donc, avec l'ancien canal romain, un ensemble cohérent et viable, auquel ne manquaient que 5 kilomètres pour être relié au canal du Midi. Nul doute que Riquet, si le temps et l'argent lui avaient été donnés, aurait entrepris cette jonction. Après lui, Vauban en amorça les travaux, mais se heurta à l'hostilité des édiles bitterois et sétois, et surtout au refus des héritiers de Riquet – propriétaires du canal, ne l'oublions pas –, peu désireux d'engager de lourdes dépenses alors qu'ils peinaient à rembourser les dettes de leur père. Ce n'est finalement qu'en 1787 que le canal de Jonction fut

*L'écluse de Cesse,
sur le canal de Jonction.*

enfin creusé jusqu'au canal de la Robine, et que Narbonne désenclavée put, sinon retrouver son rôle antique de port maritime, du moins conquérir celui de maillon important du canal des Deux Mers.

*L'épanchoir de Gailhousty, sans
doute le plus bel ouvrage
du canal de la Robine.*

*Le vignoble
de Saint-Marcel-d'Aude.*

De l'embranchement avec le canal du Midi jusqu'à Port-la-Nouvelle, en un peu plus de 36 kilomètres ponctués de treize écluses, le canal de Jonction et le canal de la Robine offrent à qui dispose d'un peu de temps – il faut compter pour l'aller et retour trois à quatre journées, visites incluses – une superbe croisière. Il y a d'abord la longue ligne droite du canal de Jonction, allée d'eau royale ombragée par une double rangée de pins parasols, qui mène à Sallèles-d'Aude – une délicieuse petite cité qui fut dès le IVe siècle avant J.-C. une capitale viticole,

comme le prouvent les amphores produites de façon quasi industrielle dans ses environs, et qui sont exposées, à moins de 2 kilomètres, au musée Amphoralis – puis à Gailhousty, où à proximité d'un monumental épanchoir bâti vers 1780 on franchit l'Aude pour entrer dans le canal de la Robine. Il ne reste alors qu'un seul bief – moins de 4,5 kilomètres – pour atteindre l'écluse de Gua, porte d'entrée de Narbonne. On ne peut rêver plus belle arrivée dans une ville. Tandis que le canal se glisse entre les voûtes de platanes des quais, puis

*Ancien port maritime,
Narbonne dut attendre la fin du
XVIIIe siècle pour être reliée au
canal du Midi par les canaux
de Jonction et de la Robine.*

s'obscurcit brièvement sous le pont médiéval des Marchands – l'un des derniers en France qui ait gardé son bâti de maison anciennes – Narbonne s'offre dans toute sa splendeur : la cathédrale inachevée Saint-Just, la basilique Saint-Paul, le palais des Archevêques et les demeures aristo-cratiques qui bordent ses ruelles pavées constituent un paysage urbain d'une inoubliable perfection. Dès lors, on pourrait évidemment choisir de faire demi-tour. Mais en aval de Nar-bonne, dans un paysage aux ciels immenses, la Robine offre, le long du long ruban de l'île Sainte-Lucie, entre lagunes et étangs, entre vols de sauva-gines et senteurs marines, dans ces paysages à la fois rudes et presque inhumains que l'on rencontre parfois sur les rives méditerranéennes, un voyage d'une poésie étrange et boule-versante. Et l'on ne regrettera pas d'avoir atteint cette sorte de bout du monde qu'est Port-la-Nouvelle, l'un

des seuls ports importants de France – il est au septième rang aujourd'hui – auxquels un « marin d'eau douce » puisse accéder.

À Narbonne, le palais des Archevêques (ci-dessus) et la basilique Saint-Just-et-Saint-Pasteur (ci-contre) forment un ensemble architectural à la fois religieux, civil et militaire d'une ampleur exceptionnelle.

L'abbaye de Fontfroide

L'abbaye cistercienne de Fontfroide est l'une des plus belles de France. La cour Louis-XIV est bordée de bâtiments du XIIe siècle, dont l'un a été doté au XVIIe d'un fronton classique.

Elle est évidemment située un peu loin du canal de la Robine, mais elle est d'une beauté si rare qu'il serait dommage de ne pas lui consacrer une excursion. À une quinzaine de kilomètres de Narbonne, l'abbaye de Fontfroide se niche au fond d'un vallon des Corbières, dans un paysage austère de garrigues et de grès ocre, à peine adouci par le moutonnement des vignes et les silhouettes toscanes des cyprès.

Fondée en 1093, elle s'affilia à l'ordre cistercien au milieu du XIIe siècle, et connut alors une extraordinaire prospérité. L'un de ses pères abbés, Jacques Fournier, devint même pape en 1334 sous le nom de Benoît XII. Mais en 1348, la Peste Noire frappe l'abbaye, emportant les trois-quarts de ses moines. Elle ne s'en relèvera pas. Tombée en commende au milieu du XVe siècle, elle voit se succéder des abbés qui, plus attirés par sa richesse que par les rigueurs de la vie monastique, aménagent certains de ses bâtiments en un véritable palais. À la Révolution, ses biens sont dispersés, mais par bonheur elle ne subit pas de dommages irrémédiables. En 1858, une communauté cistercienne venue de Sénanque l'occupe à nouveau. La résurrection sera de courte durée : la promulgation de la loi contre les congrégations religieuses, en 1901, contraint les moines à l'exil. Vendue aux enchères en 1908, elle est acquise par un riche propriétaire viticole amateur d'art, qui la sauve du démantèlement et entreprend une restauration exemplaire.

Le cloître date pour l'essentiel du XIIe siècle.

C'est grâce à ce mécène que Fontfroide nous est rendue aujourd'hui dans toute sa gloire, avec son église abbatiale du XIIe siècle d'une nudité grandiose, son cloître (XIIe et XIVe) aux sublimes chapiteaux sculptés, son immense dortoir de moines et son fastueux logis abbatial.

Des voûtes d'une portée stupéfiante...

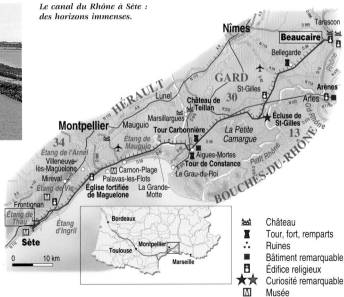

Le canal du Rhône à Sète : des horizons immenses.

Le canal du Rhône à Sète

Ce n'est qu'en 1808 que fut achevé le canal permettant de relier le Rhône et l'étang de Thau. Comment ne pas s'en étonner ? Son importance économique apparaissait évidente, la distance – moins de 100 kilomètres – n'était pas considérable, et la configuration du terrain – une succession de plaines basses, des étangs nombreux et des rivières assurant une alimentation constante en eau – ne présentait pas d'obstacles majeurs. Certes, dès la fin du XVIIᵉ siècle, une voie d'eau avait été creusée entre Sète et Aigues-Mortes. Mais les travaux n'avaient pas été poursuivis, ce qui est d'autant moins compréhensible qu'Aigues-Mortes, que l'ensablement progressif de la côte avait depuis longtemps rejeté à l'intérieur des terres, n'était déjà plus guère qu'un cul-de-sac. Il faudra attendre le Premier Empire pour que le projet soit repris, et cette fois mené à bien en quelques années.

Le Sud-Ouest allait désormais pouvoir intensifier son trafic fluvial avec le Rhône, qui par la Saône, communique avec l'immense réseau de rivières navigables et de canaux du nord et de l'est de l'Europe.

De Sète à Beaucaire – 97 kilomètres, 22 ponts et 3 écluses – le canal chemine dans d'étonnants paysages amphibies. Il se glisse d'abord un chapelet d'étangs – de Frontignan à La Grande-Motte, c'est-à-dire en moins de 60 kilomètres, on n'en compte pas moins d'une dizaine – soit en empruntant d'étroites langues de sable, soit en les traversant sans que, grâce à ses berges surélevées, ses eaux puissent

Solitude des espaces sans limites, sévérité superbe des paysages, l'univers du canal du Rhône à Sète est d'une incomparable étrangeté.

jamais se mêler aux leurs. Puis, à partir d'Aigues-Mortes, ce seront les mélancoliques horizons de marais, de rizières et de prairies inondées de la Petite Camargue, avant que progressivement, entre Saint-Gilles et Beaucaire, les sols ne s'assèchent et que ne se précise au loin le relief des collines gardoises.

Tombeaux des évêques dans la cathédrale de Maguelone.

Il n'y a paradoxalement rien de lassant dans ce lent voyage à travers les immensités rectilignes que parcourt le canal. Envols de flamants roses, galops de chevaux fous de liberté, immobilité minérale des taureaux à la robe d'ébène, vagues du vent sur les ajoncs. On vogue sur une autre planète, aux paysages toujours recommencés et pourtant toujours différents, où les distances et le temps paraissent avoir été abolis. Et comme pour un marin au long cours, chaque escale ressemble à une arrivée dans une île...

On en fuira certaines. Bien que le bétonnage des côtes ait autrefois répondu à d'évidents besoins sociaux, bien que l'esthétique architecturale de Palavas-les-Flots, de Carnon et de La Grande-Motte puisse susciter la perplexité, voire prêter à débats, comment en vouloir à ceux qui préfèrent ignorer de toutes leurs forces ces archétypes du tourisme balnéaire de masse ?

D'autres, heureusement, réservent d'éblouissantes surprises. Si, dès la sortie de Sète, on peut s'attarder un moment à Frontignan, patrie du célèbre muscat, qui outre une très belle église fortifiée (XIIe-XIVe) possède un intéressant musée d'histoire locale, on ne manquera surtout pas de marquer une longue étape à la hauteur du P.K. 79. À quelques centaines de mètres du canal, bâtie sur une sorte de presqu'île accrochée au cordon littoral, s'élève l'église fortifiée de Maguelone, seul vestige de ce qui fut, au Moyen Age, une puissante cité épiscopale et portuaire, tête de pont du monde chrétien face aux Sarrasins, et refuge de plusieurs papes pendant la lutte entre le Sacerdoce et l'Empire. Mais la concurrence de Montpellier, qui lui ravit au XVIe siècle le siège de l'évêché, ainsi que les ravages des guerres de Religion allaient bientôt amorcer son déclin. Le démantèlement de ses fortifications, ordonné en 1622 par Richelieu, puis la dispersion de ses ruines lors de la construction du canal – les pierres furent vendues ou jetées au fond des étangs – achevèrent de la transformer en ville fantôme. De cette gloire

*Une péniche de type hollandais
dans le port d'Aigues-Mortes.*

engloutie dans les sables, ne reste aujourd'hui que la silhouette solitaire et nostalgique de l'ancienne cathédrale, dressée entre ciel et mer comme une sentinelle surgie du passé. Sur l'autre rive du canal, la visite du très beau village de Villeneuve-lès-Maguelone, avec ses rues tortueuses bordées de maisons médiévales, est un complément indispensable à celle de Maguelone.

Mais c'est 20 kilomètres plus loin, en continuant vers Beaucaire, que se situe l'apothéose du parcours, quand apparaissent au loin les tours et les courtines d'Aigues-Mortes, poignante solitude minérale dans un désert de marais et d'étangs, qui pour Chateaubriand ressemblait à « un vaisseau de haut bord échoué sur le sable ». Née au milieu de rien, dans un bout du monde que seuls parcouraient auparavant de misérables pêcheurs, elle fut bâtie à partir de 1240 par Saint Louis qui voulait disposer d'un port fortifié pour affirmer sa présence en Méditerranée, et surtout servir de point de départ à ses croisades en Terre sainte. Aigues-Mortes ne peut renier

*La tour de Constance,
à Aigues-Mortes, bâtie sur ordre
de Saint Louis pour renforcer
les défenses de la ville.*

La Petite Camargue, un monde amphibie à nul autre pareil...

Près d'Aigues-Mortes, la tour Carbonière s'élève solitairement au milieu des prés inondés.

ses origines belliqueuses : son plan géométrique – cinq rues longitudinales et cinq rues transversales divisant en îlots réguliers un rectangle de 550 mètres sur 300 –, ses remparts crénelés, ses tours – la plus ancienne, qui offre un magnifique panorama, est celle de Constance – et ses portes fortifiées en font un modèle admirablement préservé de l'architecture militaire médiévale. Malgré les fièvres des marais qui décimaient régulièrement sa population, malgré les épidémies récurrentes de peste et de choléra, malgré enfin les ravages causés par la guerre de Cent Ans, la cité resta longtemps prospère. Mais le déclin s'amorce dès le xvᵉ siècle : l'ensablement irréversible du chenal qui reliait son port à la mer, puis les guerres de Religion, et enfin la création du port de Sète lui valent une lente agonie. Pourtant, sa beauté intacte a traversé les siècles, et le tourisme lui offre aujourd'hui une véritable résurrection.

Après les splendeurs d'Aigues-Mortes, on pourrait craindre que le canal n'ait plus rien à montrer. Erreur... La traversée de la Petite Camargue, avec ses mas perdus dans l'immensité fuyante des plaines marécageuses, est un enchantement perpétuel. Avant Beaucaire, au moins deux escales s'imposent : la première à

Détail du portail de l'abbatiale Saint-Gilles, chef-d'œuvre de la sculpture romane.

Saint-Gilles, ancienne étape sur le chemin de Saint-Jacques-de-Compostelle, aux rues bordées maisons romanes et dont l'abbatiale a gardé, malgré d'importantes destructions subies pendant les guerres de Religion, une façade considérée comme un pur chef-d'œuvre de la sculpture

L'abbatiale Saint-Gilles a été tout entière bâtie au XII° siècle, ce qui lui donne une exceptionnelle unité architecturale.

Bellegarde, un très ancien village dominé par les belles ruines de la tour de la Madone.

Ci-dessous :
*Beaucaire.
Le canal et les quais.*

romane méridionale ; la seconde à Bellegarde, un très ancien village perché, dominé par la tour de la Madone, d'où s'offre un admirable panorama.

Et c'est l'arrivée à Beaucaire, ultime étape du canal avant sa jonction avec

Le port de Beaucaire, quai de la Paix : aujourd'hui sommeillante, la ville fut pendant des siècles le siège de l'une des foires les plus célèbres de France.

le Rhône. Beaucaire, tout droit sortie d'un temps où les villes étaient faites pour les hommes, avec ses rues d'ombre et de lumière, ses demeures secrètes, ses quais joyeux et fleuris, son château dont les ruines magnifiques dominent un océan de toits aux tuiles roses et ocre, et par-delà le Rhône, les clochers et les tours de sa jumelle rivale, Tarascon. Si elle n'est plus cette ville richissime dont la foire annuelle – la première de France au XVIIIe siècle – attirait chaque année plus de 300 000 visiteurs, chacune de ses pierres semble garder la mémoire de sa prospérité ancienne.

ATTENTION DANGER MANIFESTATION TAURINE

DANGER ! WATCH OUT BULL DEMONSTRATION

Ci-dessous :
Le château de Tarascon, ville jumelle de Beaucaire sur la rive gauche du Rhône.

Le sel de mer

Les premiers salins ont peut-être été installés dans le delta du Rhône par les Phéniciens, dès la fin du IIe milénaire avant J.-C., et la saunerie provençale exportait déjà sa production à l'époque romaine. Mais ce n'est qu'au milieu du XIIIe siècle, à l'époque de sa construction par saint Louis, que se développent des salins à proximité d'Aigues-Mortes. Le sel est ici obtenu après pompage de l'eau de mer, à la différence des marais salants de l'Atlantique où c'est la force des marées qui remplit les bassins. Ne sont plus exploités aujourd'hui que les salins de Lapalme, de Sainte-Lucie, de Gruissan et d'Aigues-Mortes, avec une capacité annuelle d'environ 1 million de tonnes. Avec leurs 10 000 hectares, les salins d'Aigues-Mortes fournissent à eux seuls 50 % de ce total.

Vue générale. © Salins du Midi.

• Visite du Salin d'Aigues-Mortes :
- visite par le « petit train des sauniers » (d'avril à fin août 2000) ;
tél. renseignements : 04 66 53 85 20
• Visite du Salin de Gruissan (Aude) : tél. renseignements : 04 68 49 29 77

© Salins du Midi.

Le canal latéral à la Garonne

On sait qu'à la mort de Riquet, « la construction du canal de navigation et communication des deux mers Océane et Méditerranée » n'était pas vraiment achevée. Restait en effet l'obligation d'emprunter entre Toulouse à Bordeaux le cours de la Garonne, dont le cours capricieux entraînait de fréquentes interruptions de trafic, et nécessitait l'utilisation d'embarcations plus légères et de plus faible tirant d'eau que celles aptes à naviguer sur le canal, donc une

coûteuse rupture de charge. Vauban lui-même, dès 1685, avait évoqué le projet d'un canal latéral à la Garonne, seule solution à ce double problème. Mais il faudra attendre le milieu du XIXe siècle pour que ce projet devienne enfin réalité, non sans difficultés, d'ailleurs. Commencés en 1839, les travaux furent interrompus à plusieurs reprises, en particulier sous la pression du « lobby » du rail, qui tenta de faire transformer en voie de chemin de fer une partie déjà réalisée de l'ouvrage. « Le gouvernement eut la sagesse de ne point céder aux suggestions aveugles qui lui arrivaient de toutes parts ; il se refusa à anéantir une œuvre qui complétait si heureusement celle de Riquet ₁. »

Ouvert par tronçons successifs – Toulouse-Montech, Montech-Moissac, Moissac-Aiguillon, Aiguillon-Castets-en-Dorthe –, le canal fut achevé en 1856. Entre Toulouse et Castets-en-Dorthe, où il rejoint la Garonne – désormais aisément navigable sur les 53 kilomètres qui restent à parcourir avant Bordeaux – il est long de 193,5 kilomètres, est traversé par 159 ponts et comporte 53 écluses –

Le canal latéral à la Garonne au niveau de Hure.

Ci-dessous :
L'écluse des Peyrets, à Montech.

canal de la Robine et le canal du Rhône à Sète font parfois oublier que le canal latéral à la Garonne – qui, reconnaissons-le, est plutôt desservi par son nom officiel – compte parmi les plus belles voies navigables de France, qui à elle seule pourrait faire l'objet d'un « Itinéraire

	Château
	Tour, fort, remparts
	Ruines
	Bâtiment remarquable
	Édifice religieux
★★	Curiosité remarquable
M	Musée

portées dans les années 70 au « gabarit Freycinet » afin d'accueillir des péniches de 38,50 mètres – pour un dénivelé total d'un peu plus de 110 mètres. De Montech, un embranchement de 11 kilomètres (9 ponts, 10 écluses, 20 mètres de dénivelé) permet d'atteindre Montauban. Actuellement hors service, il sera très prochainement rouvert à la navigation.

La célébrité de son prestigieux aîné le canal du Midi, la forte identité des régions et des villes traversées par le

de Découvertes ».
Mais nous devrons nous contenter de signaler les escales les plus indispensables de ce superbe parcours.

1. Alfred Picard Rothschild, *Traité des Chemins de Fer*, 1887.

95

*La pente d'eau de Montech
et ses deux automotrices.*

Montech

Si la ville mérite un coup d'œil pour ses demeures anciennes et son église Notre-Dame-de-la-Visitation, c'est surtout à la « pente d'eau » que l'on s'intéressera. Ce procédé, qui constitua une première mondiale lors de sa mise en service en 1974, et qui demeure unique en Europe, permet aux péniches de franchir une dénivellation de 13,30 mètres en évitant cinq écluses consécutives. Le principe est le suivant : un « coin d'eau » de 125 mètres de long, retenu en aval par un « masque » mobile tracté par deux automotrices, monte ou descend les 3 % de pente d'une rigole de 443 mètres de long. Ainsi, au lieu que le bateau passe de bief en bief, c'est le bief lui-même qui se déplace. Non seulement ce système permet aux péniches et aux bateaux à passagers – les plaisanciers ne peuvent l'utiliser – de franchir la dénivellation en 20 minutes, au lieu de 65 par les cinq écluses, mais encore il n'entraîne

L'écluse de Moissac.

aucune dépense d'eau, puisqu'il n'est nul besoin de vider le bief comme dans une éclusée ordinaire.

Moissac

C'est après avoir franchi le Tarn par le superbe pont-canal en brique et en pierre du Cacor, long de 356 mètres, que l'on atteint cette petite ville, qui serait banale si elle n'abritait deux trésors. Le premier est le fameux chasselas doré, un raisin sucré et parfumé issu des vignes de ses coteaux. Le second est son abbaye, dont le cloître est considéré comme l'un des plus beaux – sinon le plus beau – du monde. Qu'elle nous soit parvenue relève du miracle, tant la succession des malheurs qui l'ont frappée est

Le port de Castelsarrasin.

Le cloître de l'abbaye de Moissac passe pour être le plus beau du monde...

impressionnante : fondée au VIᵉ ou au VIIᵉ siècle, elle fut tour à tour pillée par les Sarrasins et les Normands, saccagée par Simon de Montfort, ravagée pendant la guerre de Cent Ans et les guerres de Religion et vandalisée sous la Terreur. Et comme si cela ne suffisait pas, elle faillit être démolie au siècle dernier pour laisser passer le chemin de fer. L'abbaye de Moissac est pourtant restée un éblouissement. Le cloître du XIᵉ siècle, avec ses quatre galeries voûtées reposant sur soixante-seize arcades et ses colonnes aux chapiteaux sculptés, ainsi que le portail méridional de l'ancienne abbatiale Saint-Pierre, avec son tympan illustrant l'Apocalypse de saint Jean, font partie des plus purs chefs-d'œuvre de l'art roman.

Détail du portail méridional de l'abbatiale Saint-Pierre.

Le pont-canal du Cacor permet au canal latéral de la Garonne d'atteindre Moissac en franchissant le Tarn.

*Les riches campagnes
de la région de Moissac.*

Boudou

Un bref crochet par ce petit village (s'amarrer entre les P.K. 70 et 71) ne vous décevra pas : le panorama qu'on y découvre sur la confluence du Tarn et de la Garonne est de toute beauté.

Auvillar

Même s'il vous faut parcourir près de 5 kilomètres à partir de l'écluse de

*Le confluent du Tarn
et de la Garonne, vu
du belvédère de Boudou.*

Pommevic (P.K. 78), n'hésitez pas. Auvillar, tout habillée de briques roses, avec ses belles demeures des XVIIᵉ et XVIIIᵉ siècles, sa curieuse halle ronde et son belvédère sur le Garonne, passe à juste titre pour l'une des perles du Tarn-et-Garonne.

Valence-d'Agen

Cette ancienne bastide – elle fut fondée au XIIIᵉ siècle – a beaucoup de

charme. De son passé subsistent, outre le tracé géométrique des rues, trois admirables lavoirs qui à eux seuls justifient un arrêt.

Agen

La plus grande ville du parcours exige évidemment un long arrêt. Un peu moderne, peut-être ? Il est certain que les amateurs de vieilles pierres n'y trouveront pas les mêmes bonheurs qu'à Toulouse, Carcassonne ou Béziers, même si, outre la cathédrale Saint-Caprais (XIIᵉ) subsistent de très belles maisons anciennes à pans de bois et d'élégants hôtels particuliers. Mais elle est si harmonieuse, avec ses quais, ses places ombragées et ses larges avenues, elle est si douce à vivre – n'a-t-elle pas été classée première de France pour la qualité de vie ? – que l'on s'y attarde avec

Bastide de Valence-d'Agen, l'un des anciens lavoirs publics (XIIIᵉ siècle) qui comptent parmi les monuments les plus intéressants de Valence-d'Agen.

*Agen.
Passage d'une péniche sur le pont-canal.*

*Le monumental pont-canal
d'Agen, sur la Garonne.*

*Agen.
Canal sur la Garonne
et sur la ligne
du Midi Bordeaux-Sète.*

*Agen.
Sur le pont-canal.*

un plaisir véritable. On ne manquera pas de visiter le musée des Beaux-Arts, installé dans un ensemble admirable de quatre hôtels particuliers mitoyens des XVIᵉ et XVIIᵉ siècles, qui abrite d'exceptionnelles collections d'archéologie, d'orfèvrerie, de porcelaines et de peinture des XVIIIᵉ, XIXᵉ et XXᵉ siècles. Quant aux navigateurs, ils pourront admirer, à la sortie ouest d'Agen, le plus long pont-canal de France – et sans doute l'un des plus beaux – dont les vingt-

trois arches de 20 mètres de large franchissent la Garonne dans une envolée majestueuse de 580 mètres.

Sérignac

L'église de cette petite bastide est dotée d'un très curieux clocher hélicoïdal. Construit en 1546, il fut abîmé par la foudre, et restauré en 1922, puis en 1988. La légende veut qu'ayant été détruit trois fois par le diable, on lui donna cette forme pour le visser solidement dans le ciel.

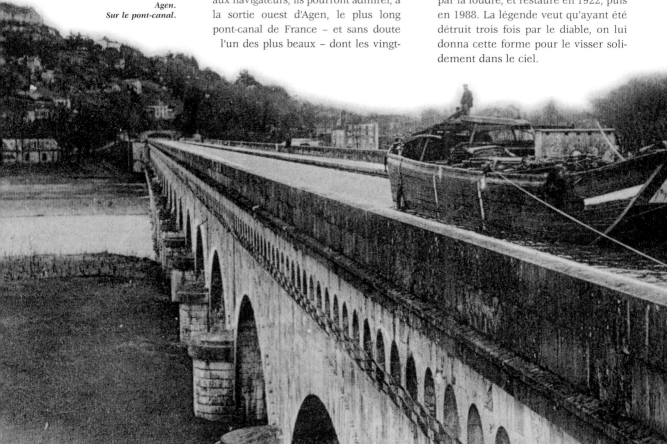

Le pruneau d'Agen

Avec sa peau ridée noire et brillante, sa chair fondante allant du jaune d'or à l'ambre, sa saveur délicatement sucrée, le pruneau d'Agen a depuis longtemps conquis toutes les tables. C'est à des moines – en l'occurrence ceux de l'abbaye de Clairac – que nous sommes redevables de cette gourmandise. Des plants de pruniers rapportés de Syrie dans la vallée du Lot par des croisés furent tout d'abord greffés sur des pruniers indigènes, sans doute dès le XIIᵉ siècle. Les prunes d'Ente ainsi obtenues étaient d'une telle qualité que leur culture se répandit rapidement. Mais leur saison est courte. Comment les conserver pour pouvoir les déguster toute l'année ? Nos bons moines eurent l'idée de les étuver et de les sécher, puis de les stocker à l'abri de la lumière pour éviter tout développement de moisissure. Le pruneau était né. C'est de façon un peu abusive qu'Agen leur a accolé son nom, car ils sont surtout récoltés dans la région de Villeneuve-sur-Lot. En fait, ils étaient autrefois achetés par des négociants agenais, avant d'être acheminés par voie fluviale à Bordeaux, d'où ils partaient vers l'Angleterre, qui en faisait grande consommation. Et c'est ainsi que s'est créée une confusion entre lieu d'expédition et lieu de production.

Le ramassage des prunes d'Ente a lieu du 25 août au 25 septembre, quand elles se sont gorgées du soleil d'été.

Si la cueillette traditionnelle se fait à la main, après secouage de l'arbre, la mécanisation s'impose de plus en plus. Puis intervient la déshydratation, 3 kilos de prunes fraîches donnant au final 1 kilo de pruneaux. L'appellation « pruneaux d'Agen » est exclusivement réservée à ceux issus de la prune d'Ente, dont les vergers couvrent 16 500 hectares.

Bruch

Ce beau village clos, situé à 1,5 kilomètre de l'écluse de l'Auvignon, se signale de loin par une impressionnante porte fortifiée médiévale.

Buzet-sur-Baïse

On connaît les fort honorables « côtes de Buzet » qui ont fait la réputation de cette petite capitale viticole. Mais autant que ses caves, son site sur les rives du canal et de la Baïse, son église des XIIIᵉ et XIVᵉ siècles et son superbe château (propriété privée) qui domine la plaine du haut de son éperon rocheux justifient une escale.

Damazan

Cette ancienne bastide anglaise a gardé d'intéressants vestiges de son passé : des demeures à pans de bois, un hôtel de ville avec un très bel escalier du XIVᵉ siècle et des vestiges de remparts.

Agen.
Canal du Midi.

Écluse d'Agen : on saisit ici quelles sont les difficultés du terrain...

Le Mas-d'Agenais

Fondée à l'époque romaine, l'antique Velenum Pompejacum a livré quelques trésors archéologiques, dont la Vénus du Mas, exposée au musée des Beaux-Arts d'Agen. Son site exceptionnel en balcon sur la Garonne et le canal, sa porte romane, sa halle aux blés du XVII siècle, et surtout son église Saint-Vincent (XII), réputée comme l'une des plus belles construites au sud de la Garonne et qui abrite un Christ en croix de Rembrandt, en font une étape indispensable.

Tersac

En aval de l'écluse de Bernès, sur la rive gauche du canal, s'élève une ravissante chapelle du XII siècle, indiscutablement l'une des plus photogéniques du parcours.

Meilhan-sur-Garonne

Des terrasses de cette ancienne cité gallo-romaine, le panorama sur la vallée de la Garonne est de toute beauté. Les vestiges de ses remparts et de sa citadelle – démantelée en 1622 sur ordre de Richelieu – méritent une visite.

Meilhan, le canal latéral et la Garonne ne sont séparés que de quelques dizaines de mètres.

La Réole

Sur la rive droite de la Garonne, à 2 kilomètres du canal, La Réole fut un port de première importance, où les gabares chargeaient et déchargeaient blés, fruits, légumes, vins et eaux-de-vie. De ses origines monastiques – elle se développa à partir du IXᵉ siècle autour d'une abbaye – elle a conservé l'église gothique Saint-Pierre (XIIIᵉ), ancienne chapelle abbatiale des Bénédictins, et des bâtiments conventuels du XVIIIᵉ siècle. Mais La Réole fut aussi une importante place forte militaire : en

témoignent les restes des remparts et l'imposant château des Quat'Sos, vestiges d'une citadelle érigée au XIIIᵉ siècle par Henri III Plantagenêt. L'hôtel de ville du début du XIIIᵉ siècle – le plus ancien de France – et quelques belles demeures médiévales, Renaissance et classiques, complètent un ensemble monumental très riche et bien restauré.

Meilhan offre un superbe panorama.

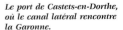

Castets-en-Dorthe

Terminus ! C'est dans ce beau village, dominé par les murailles et les échauguettes d'un château du XIVᵉ siècle, que le canal rejoint la Garonne. On ne manquera pas de le saluer une dernière fois de la terrasse située derrière l'église, qui offre une vue magnifique sur la vallée.

Le port de Castets-en-Dorthe, où le canal latéral rencontre la Garonne.

Château de Malromé, ancienne propriété de Toulouse-Lautrec.

Enseigne de rue à Saint-Macaire.

Ruelle de la cité médiévale de Saint-Macaire.

Sur la Garonne...

Sur les 53 kilomètres qui séparent Castets-en-Dorthe de Bordeaux, la Garonne apprivoisée est aisément navigable, même si la présence d'unités importantes – péniches et pousseurs – exige une attention soutenue. Noblesse des paysages, vignobles, villes d'arts et châteaux, le trajet n'a

rien à envier à ceux que nous avons déjà parcourus...

Bien des escales sont tentantes. Nous en retiendrons quelquesunes... On sera ébloui par Saint-Macaire, qui domine le fleuve du haut de son promontoire rocheux, et a si bien gardé son aspect médiéval que la ville semble avoir été abandonnée sur la rive par un reflux du temps... Dans une atmosphère qui rappelle « Thérèse Desqueyroux », on sera séduit par le manoir de Malagar où vécut François Mauriac, à 1 kilomètre du petit village de Verdelais... Du belvédère de Sainte-Croix-du-Mont, on admirera un vaste panorama sur la vallée et le vignoble. À Cadillac, on découvrira avec émerveillement la place à arcades, l'église gothique et le châ-

Vignobles des Hauts de Langoiran.

teau bâti au XVIIᵉ siècle par le duc d'Épernon... On aimera enfin les for-tifications de Rions, les ruines du château fort de Langoiran et l'église fortifiée de Boulac, dernières étapes avant l'arrivée à Bordeaux, la si belle, si secrète et si aristocratique capitale d'Aquitaine...

Le pont de Pierre, à Bordeaux, résume tout l'orgueil de la capitale aquitaine...

Porte de Lhyan (XIIᵉ siècle), à Rions.

Le quartier des Chartrons à Bordeaux.

105

Deux rivières navigables :
le Lot et la Baïse

L'exploit que représente la liaison Atlantique-Méditerranée par le canal des Deux Mers, et l'extraordinaire essor économique qu'elle a suscité, ne doit pas faire oublier l'importance revêtue dans le Sud-Ouest, bien antérieurement à sa construction, par la navigation fluviale. Depuis l'Antiquité, de véritables flottilles d'embarcations de toutes sortes, depuis le radeau jusqu'à la gabare, empruntaient un dense réseau de cours d'eau, y compris ceux qui aujourd'hui nous paraissent trop rapides ou trop étroits pour être navi-

♙	Château
♙	Tour, fort, remparts
∴	Ruines
■	Bâtiment remarquable
₿	Édifice religieux
★★	Curiosité remarquable
Ⓜ	Musée

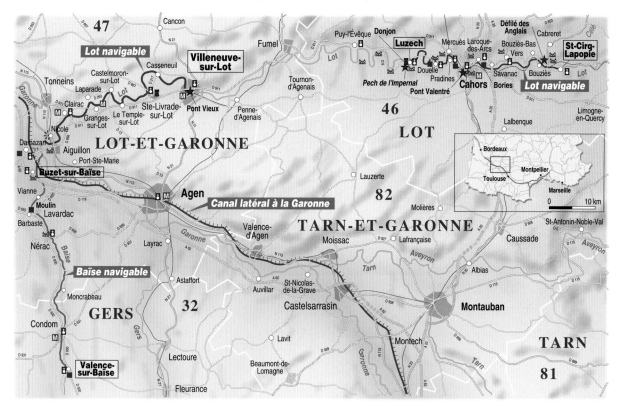

Les rives de la Baïse à Condom.

gables. Sur les rives de l'Adour, de la Garonne, de la Dordogne, de l'Aveyron, du Tarn, du Lot ou de la Baïse prospéraient des dizaines de ports où viticulteurs, agriculteurs et négociants confiaient leurs marchandises à tout un peuple de marins qui les acheminaient, au péril des rapides et des hauts-fonds, vers les grands centres d'échange. Le chemin de fer puis la route ont tué en quelques décennies tous ces « métiers du fleuve » – charpentiers, haleurs, portefaix, matelots, aubergistes – qui employaient des milliers d'hommes et de femmes, et bien des rivières – du moins les plus difficilement navigables – ont cessé au siècle dernier d'être des « couloirs de vie ».

Le tourisme a sauvé le canal du Midi. C'est lui encore qui permet de ressusciter cette part importante de notre mémoire et de notre patrimoine qu'est la navigation fluviale. Grâce à lui, des rivières abandonnées revivent, des villages endormis se réveillent, des écluses condamnées sont remises en service.

C'est ainsi que le Lot et la Baïse, progressivement réaménagés, retrouvent depuis quelques années leur animation de jadis. D'autant plus accessibles qu'ils sont reliés au canal latéral de la Garonne, ils offrent l'occasion de pénétrer par la « voie du silence » dans quelques-uns des plus beaux paysages de France.

Le Lot

D'ores et déjà, deux tronçons du Lot ont été rendus à la navigation. Le premier, de Saint-Cirq-Lapopie à Luzech, s'étend sur 64,3 kilomètres et comporte quatorze écluses. Le second, de Villeneuve-sur-Lot à Nicole, d'où par la Garonne on peut rejoindre l'embouchure de la Baïse, s'étend sur 51,8 kilomètres et comporte trois écluses.

De Saint-Cirq-Lapopie à Cahors

Sublime. C'est le seul mot qui vient à l'esprit quand on découvre ce lieu magique entre tous. « Par-delà bien d'autres sites – d'Amérique, d'Europe –, Saint-Cirq a disposé sur moi du seul enchantement : celui qui fixe à tout jamais. J'ai cessé de me désirer ailleurs. Je crois que le secret de sa poésie s'apparente à certaines illuminations de Rimbaud », écrivait André Breton. Vertigineusement accrochés au promontoire qui domine le Lot de près de 100 mètres, maisons, tours et clochers aux toits de tuiles brunes et ocre semblent ne tenir que par un miracle d'équilibre. Dans les ruelles aux pentes abruptes, tout est émerveillement : les jardins suspendus sur de minuscules terrasses, les fenêtres gothiques, les façades à encorbellement, les échappées grandioses sur la vallée étranglée entre les falaises. On pourrait raconter l'histoire de Saint-Cirq-Lapopie, évoquer les trois châteaux de ses trois familles suzeraines, rappeler l'habileté légendaire des artisans qui firent sa prospérité au Moyen Age. Mais est-ce cela qui compte, ou l'émotion brute que suscite l'incomparable splendeur de ce village tout droit venu d'une chanson de geste. ?

Vertigineusement accroché au-dessus du Lot, le village de Saint-Cirq-Lapopie compte parmi les plus beaux de France...

L'agneau
du Quercy

*Dans les austères
causses quercynois,
l'herbe est parfumée et
savoureuse, mais rare.
Seules des races
rustiques, assez
résistantes pour
parcourir
infatigablement de
vastes et maigres
pâturages, peuvent
y subsister. C'est le cas
des moutons
caussenards, que leurs
hautes pattes, leurs
« lunettes » et leurs
oreilles noires rendent
reconnaissables entre
tous. La brebis met au
monde deux agneaux
par portée. Nourris au
lait de la mère, avec
un complément de
céréales et de foin
de la ferme, ils
atteindront au bout
de 100 jours un poids
de 18 kilos environ.
De l'avis des
connaisseurs,
la qualité de chair
et la saveur de l'agneau
fermier du Quercy
ne se retrouvent nulle
part ailleurs.*

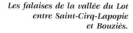

*Les falaises de la vallée du Lot
entre Saint-Cirq-Lapopie
et Bouziès.*

En aval de Saint-Cirq, la rivière se fraie difficilement un passage entre de hautes falaises. Villages perchés, moulins, étranges châteaux troglodytes dont la légende attribuait la construction soit au Diable, soit aux Anglais – souvenir vraisemblable de la guerre de Cent Ans –, paysages changeants révélés à chaque méandre, l'enchantement est perpétuel.

Les sites qui méritent une escale ou une brève excursion sont trop nombreux pour qu'on puisse tous les décrire. Retenons les plus spectaculaires. À 2 kilomètres environ de Saint-Cirq, sur la rive gauche, s'amorce un chemin de halage long de plus de 700 mètres taillé au flanc de la falaise, dont la réalisation par des anonymes constitue assurément l'un des exploits les plus ahurissants de l'histoire de la navigation fluviale ; en face, les châteaux-sentinelles de Conduché et de Condat semblent continuer leur veille sur la confluence du Lot et du Célé. Sur la rive droite, à la hauteur du pont de Bouziès, s'ouvre dans l'abrupt « défilé des Anglais » un château troglodyte aménagé au Moyen Age dans les grottes de la falaise, et dont les

Cahors vue du mont Saint-Cyr.

portes ne pouvaient être atteintes qu'avec des échelles. Un peu plus loin apparaît la silhouette du village perché de Bouziès-Bas, dominé par le pigeonnier de son manoir du XVI⁰ siècle. Après une série de méandres en épingles à cheveux, c'est au tour de Vers d'offrir, dans un site superbe à la confluence du Lot et de la petite rivière qui a donné son nom au village, les vestiges de deux châteaux, dont un « château des Anglais », et d'un aqueduc romain. Comme les mariniers de jadis pour qui elle était un lieu de pèlerinage, on ne manquera pas de s'arrêter, quelques centaines de mètres en aval, devant la chapelle romane de Notre-Dame-de-Velles. Entre Vers et l'écluse de Lacombe, si la tour de Galessie, qui surplombe le Lot du haut de son roc, et le village de Laroque-des-Arcs, avec sa chapelle Saint-Roch, son donjon du XIII⁰ siècle et son « château des Anglais » sont des sites inoubliables, c'est surtout aux « bories » qui s'élèvent sur les deux rives que l'on s'intéressera. Ailleurs, les bories sont de simples huttes de pierres sèches isolées dans les champs pour servir de remise ou d'abri. Ici, ce sont des demeures splendides, édifiées à partir du XIII⁰ siècle par les « Caorsins », des négociants qui avaient fait d'immenses fortunes grâce au commerce de l'argent et des étoffes. Si les plus anciennes évoquent les maisons fortes, avec remparts et donjon, les plus récentes, dès le XIV⁰ siècle,

deviennent d'authentiques palais. C'est à Savanac et à Reganhac que l'on pourra admirer les plus remarquables.

Cahors

Enfermée comme une presqu'île dans une boucle du Lot, Cahors est plus que belle. Elle a été touchée par la grâce. Il est rare qu'une ville procure un tel choc, tant sont émouvants l'harmonie de son architecture, le charme de ses ruelles et de ses places, l'élégance et la puissance de ses monuments. Elle aurait pu devenir une ville-musée, pasteurisée par des restaurations trop méticuleuses, polluée par les parasites de l'antiquaille et les marchands du temple du passé.

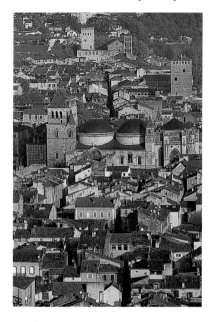

La vieille ville de Cahors.

111

*Le vieux Cahors vu
de la boucle du Lot.*

*Le pont fortifié Valentré
(XIVᵉ siècle) est devenu
l'emblème de Cahors.*

Il n'en est rien. C'est pourquoi il est impossible de lui consacrer moins d'une journée d'exquise flânerie. Partez au hasard et laissez-vous engloutir. Nul doute que vous découvrirez par vous-même et sans fatigue – Cahors nous vient du temps où les villes étaient faites pour les piétons – en ricochant de ruelle en ruelle entre les quartiers des Badernes et des Soubirous, le pont Valentré, la cathédrale Saint-Étienne, l'église Saint-Barthélemy, le château du Roi ou le palais Duèze.

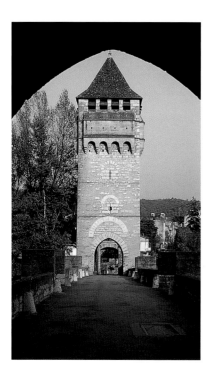

De Cahors à Luzech

Le Lot semble se secouer du carcan de falaises qui l'enserraient jusqu'alors. Il vagabonde désormais dans une vallée plus large où s'épanouissent vignes et champs de tabac, multipliant paresseusement les « cingles », c'est-à-dire les méandres, entre maisons fortes, villages plus adorables les uns que les autres, châteaux – on n'en compte pas moins d'une dizaine sur 18 kilomètres –, moulins et églises. À Pradines, les ruines du château fort, la borie d'Englandières et surtout l'église Saint-Martial, qui fut au Moyen Age un important centre de pèlerinages, justifient amplement une escale. Plus loin en aval, Mercuès se signale de loin par son château qui domine superbement la vallée du haut de son promontoire. Construite au XIIIᵉ siècle, puis agrandie à plusieurs reprises, notamment des XIVᵉ et XVIᵉ siècles, cette ancienne résidence des princes évêques de Cahors a été transformée aujourd'hui en hôtel. Jusqu'à Douelle, chaque « cingle » révèle désormais un trésor : ce seront successivement le château des Bouysses (rive droite), la borie de Marthre (rive gauche), le château de Cessac (rive droite), la chapelle de Flaynac (rive gauche) et enfin le château du Carriol (rive droite). On ne manquera pas de s'amarrer un moment à Douelle, dont les quais

Une tour du pont Valentré.

Vin de Cahors

On l'appelait le « vin noir », et du Moyen Age au XVIIIᵉ siècle, sa notoriété fut immense. Clément Marot chanta les vertus de cette « liqueur de feu », François Iᵉʳ l'apprécia au point de confier à des vignerons cahorsins le soin de créer le vignoble de Fontainebleau, l'Église orthodoxe russe le choisit comme vin de messe, tandis que Colbert n'hésitait pas à le proclamer supérieur au bordeaux. Sic transit... Le cahors tomba peu à peu dans l'oubli, avant qu'à la fin du XIXᵉ siècle, le phylloxéra ne manque de le faire totalement disparaître. La résurrection a été lente et difficile, et il y a peu encore, sa réputation était pis que piètre. Trop de viticulteurs se contentaient de faire « pisser la vigne » et de produire en abondance des vins faciles et sans caractère. Tout a bien changé depuis une vingtaine d'années. « Une nouvelle génération de producteurs a, au début des années 1980, repris les choses en main, définissant un style à la fois élégant et vigoureux du cahors moderne », écrivent les maîtres Desseauve et Bettane.

Depuis deux mille ans, le cépage de base est le « cot noir » - appelé localement l'auxerrois - qui donne au cahors son goût tannique et sa couleur rouge sombre. Le complément se fait soit en merlot, qui lui confère sa rondeur, soit en tannat, qui accentue ses qualités de vin de garde. Jeune, il possède un goût sauvage et rugueux, puis à partir de deux ans il gagne en plénitude et en vigueur. Excellent vin de garde, il peut, pour les meilleurs millésimes, être bu jusqu'à l'âge de 15 ans et plus. Il accompagne parfaitement les viandes rôties, le gibier, les fromages et les fruits rouges, ainsi que les grands mets lotois comme l'agneau fermier et l'omelette aux truffes.

Les vignobles : le cahors est en pleine résurrection...

*Donjon du château épiscopal
de Luzech (XIIe siècle).*

*Donjon du château épiscopal
de Luzech (XIIᵉ siècle).*

imposants et l'embarcation votive qu'abrite l'église rappellent que ce village aujourd'hui modeste fut jusqu'au siècle dernier le port le plus actif du Lot entre Cahors et Fumel. Avant Luzech, enfin, on pourra admirer le château médiéval de Laroque, l'église romane de Caillac – dont le portail Renaissance est particulièrement remarquable –, le château de Langle (XV-XVIᵉ) et le château de Caïx (XVIIᵉ), actuelle propriété de la famille royale danoise.

Luzech, enserré dans une boucle presque parfaite du Lot — dans sa partie la plus étroite, l'isthme atteint à peine une centaine de mètres —, offre un spectacle inoubliable : blottie au pied du « pech » de l'Impernal, une colline abrupte où subsistent les vestiges d'un oppidum gallo-romain, elle a gardé de nombreux souvenirs d'un glorieux passé de place forte : un donjon du XIIᵉ siècle, des quartiers médié-

vaux remarquablement préservés, et une église de style gothique flamboyant, Notre-Dame-de-l'Isle, qui comme celle de Douelle, abrite des ex-voto de mariniers.

Luzech marque provisoirement la fin du voyage. Jusqu'à Villeneuve-sur-Lot, la navigation reste actuellement impossible. Mais les projets de réhabilitation – qui exige des travaux longs et coûteux – finiront par aboutir. Dans quelques années sans doute, les pénichettes et autres bateaux habitables pourront parcourir en continu le Lot de Saint-Cirq-Lapopie à la Garonne.

De Villeneuve-sur-Lot à la Garonne

Dans son cours inférieur, le Lot se fait plus paresseux et ses méandres s'élargissent dans une vallée qui prend de l'ampleur. Moins pittoresque sans doute que celui qui mène de Saint-Cirq-Lapopie à Luzerch, ce parcours n'en offre pas moins d'admirables paysages et des escales de toute beauté.

Villeneuve-sur-Lot

Bastide fondée en 1253, et construite en une quinzaine d'années seulement, cette jolie bourgade a gardé, outre deux portes fortifiées, vestiges de ses anciens remparts, un magnifique « Pont Vieux » du XIIIᵉ siècle et un important bâti médiéval.

Villeneuve-sur-Lot : une très ancienne bastide...

Casseneuil

Cet ancien port gabarier bâti sur une presqu'île à la confluence de la Lède et du Lot, avec ses jardins en terrasses et ses maisons à colombages

Les maisons suspendues de Villeneuve-sur-Lot au niveau du Pont Vieux.

115

La rude architecture de la commanderie des Templiers, au Temple-sur-Lot.

suspendues au-dessus de la rivière a un charme fou.

Sainte-Livrade

La tour Richard-Cœur-de-Lion, qui a échappé au démantèlement des remparts, et le chevet roman de l'église paroissiale justifient une escale.

Le Temple-sur-Lot

Autrefois siège d'une commanderie de Templiers, cette tranquille bourgade a gardé un bel édifice du XVᵉ siècle.

Castelmoron

Le petit centre-ville compte quelques intéressantes maisons anciennes. Les bords du Lot et le port de plaisance sont agréablement animés. À 4 kilomètres environ, le délicieux village perché de Laparade offre un panorama magnifique sur la vallée.

Les rives du Lot à Castelmoron.

Granges-sur-Lot

Son original musée du Pruneau – production emblématique de la région – mérite une visite.

Clairac

Superbe escale, l'une des plus belles du parcours. Si beaucoup de maisons anciennes attendent encore un lifting, l'abbaye bénédictine qui est à l'origine de sa fondation a en revanche été admirablement restaurée. Le musée des Automates qu'elle abrite fait partie des visites qu'il ne faut en aucun cas manquer.

Aiguillon

Ancien castrum romain contrôlant du haut d'un promontoire la confluence du Lot et de la Garonne, puis importante place forte disputée entre Anglais et Français pendant la guerre de

Maison à colombages de Clairac.

Une ruelle de Clairac : un bâti médiéval qui mériterait une restauration attentive.

Moulin de l'Aiguillon,
sur la Baïse.

Cent Ans, la ville connut sa période la plus faste au XVIII· siècle, quand le duc d'Aiguillon, en disgrâce à la Cour, en fit une petite capitale mondaine et culturelle. À côté de la masse impressionnante du château classique, bâti à partir de 1765, mais jamais achevé, subsiste un charmant petit quartier aux ruelles bordées de maisons à colombages.

Nicole

C'est au pied de cette ancienne bastide anglaise que le Lot rejoint la Garonne. À moins de 1 kilomètre, le point de vue de Bachot offre un magnifique panorama. À partir de l'écluse de Nicole, que l'on atteint par un canal étroit depuis l'écluse d'Aiguillon, il est possible de rejoindre l'embouchure de la Baïse, à condition d'être pris en charge par un remorqueur (service régulier à péage) pour la traversée et la remontée de la Garonne.

En remontant la Baïse

On peut s'en étonner, tant elle est modeste et discrète. La Baïse a pour-

Porte de Vianne, une bastide fortifiée qui compte parmi les plus belles de la région.

La grâce hautaine et sévère du château de Xaintrailles...

tant été, dès le Moyen Age, une voie commerciale d'une importance capitale. C'est par milliers de tonnes que de petites embarcations, adaptées à l'étroitesse et au faible tirant d'eau de la rivière, ont transporté chaque année pendant des siècles le blé, le liège, la farine, le tabac, le vin et l'armagnac. Le passage de bief en bief se faisait par de simples chaussées, avant qu'au XVIIᵉ siècle ne soient installées de rudimentaires écluses en bois, d'un maniement long et difficile. Il faudra attendre le Second Empire – époque où le trafic atteint 130 000 tonnes – pour qu'elles soient remplacées par

des écluses « modernes », celles qui sont encore utilisées aujourd'hui.

La remontée de la Baïse, à partir de Buzet-sur-Baïse, est une merveilleuse promenade au pays des Cadets de Gascogne, des manoirs, des bastides, du foie gras et de l'armagnac, dans des paysages si policés et si souriants qu'il est impossible d'en douter : c'est bien là, et nulle part ailleurs, que « le bonheur est dans le pré ».

La Baïse est aujourd'hui navigable de Saint-Léger à Valence-sur-Baïse, soit un trajet de 58 kilomètres comportant 20 écluses.

Après l'écluse double de Saint-Léger, porte d'entrée de la rivière pour les bateaux venant de la Garonne, un premier bief (4,600 kilomètres) conduit à Buzet-sur-Baïse (voir chapitre V). Le suivant (10,500 kilomètres) reste d'abord parallèle au canal latéral, avant de le croiser en se glissant sous un pont-canal et de s'en éloigner vers le sud. Vous ne regretterez pas, au terme de ce second bief, de faire escale à Vianne : cette ravissante bastide qui se mire sur la Baïse présente, outre une remarquable unité architecturale, la particularité unique d'avoir gardé intactes ses fortifications. On pourra ensuite faire étape à Lavardac, un ancien port marinier où s'effectuait autrefois le transbordement des marchandises entre les bateaux à faible tirant d'eau qui seuls

Le moulin de Lavardac.

Moulin fortifié de Barbaste.

La vieille ville de Nérac.

*Le château Henri-IV,
où vécut, au temps des Albret,
une cour brillante.*

pouvaient naviguer vers l'amont et ceux, de plus gros tonnage, qui partaient vers l'aval pour emprunter ensuite la Garonne. À proximité de cette petite ville, Barbaste mérite une excursion : son moulin fortifié des XIIe et XIIIe siècles flanqué de quatre tours carrées et son pont roman à dix arches

constituent un ensemble d'un rare pittoresque.

Restent quatre écluses et quelques méandres pour atteindre l'une des merveilles du parcours. Nérac n'a rien oublié du temps de sa splendeur quand, capitale de l'Albret, elle accueillait poètes, humanistes et let-

trés autour de Marguerite de Navarre, ou quand y résidaient Antoine de Bourbon et Jeanne d'Albret, parents du futur Vert-Galant. De part et d'autre de la Baïse, reliées par le dos d'âne du Pont Vieux, les deux parties de la ville ancienne – le Petit Nérac et le quartier du château – ont gardé un cachet d'une extraordinaire authenticité, même si le château Henri IV, bâti dans le style Renaissance, a été amputé de trois de ses quatre ailes.

En amont de Nérac, le cours de la Baïse devient, entre coteaux et col-

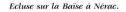

*Maisons à colombages
dans la vieille ville de Nérac.*

Ecluse sur la Baïse à Nérac.

*Statue de Fleurette,
l'un des amours d'Henri IV.*

Plaque de rue à Moncrabeau.

ICI EST NÉ
FUJIYO LAPUCE
INFORMATICIEN DU ROI
LOUIS XV
1748-1792

clamant « capitale mondiale des menteurs ». Organisés par l'académie des Menteurs, fondée au XVIIIᵉ siècle, un concours de mensonges s'y déroule chaque année, et un championnat de grimaces tous les trois ans. De la rue Cocu-Saute à la place de la Mentherie Royale, un « circuit menteur » permet même de découvrir le village.

Le « siège du menteur » à Moncrabeau.

lines, si tortueux et indécis, que nombre de ses méandres ont dû être recoupés par des canaux. Exquis vagabondage : sur chaque rive, dans des paysages lumineux et paisibles, défilent les fermes gasconnes aux amples toits de tuiles, les manoirs et les châteaux aux parcs ombragés de cèdres immenses. Avant l'arrivée à Condom, bref arrêt-sourire à Moncrabeau, qui s'est forgé une réputation en s'autoproclamant

Condom, capitale de l'armagnac, et non, comme le fait croire une trompeuse étymologie, du préservatif...

Titre plus flatteur que celui de sous-préfecture du Gers, Condom est avant tout la capitale de l'armagnac. Une longue escale y est indispensable. Il faut prendre le temps de flâner dans le lacis de ruelles médiévales de ses quartiers anciens – fort heureusement rendus en partie aux piétons –, d'admirer la cathédrale gothique Saint-Pierre, la chapelle des Évêques et quelques beaux hôtels particuliers – ceux de Polignac, de Bourran et de Cugnac, par

Les rives de la Baïse à Condom.

*La mention de vieillissement
concerne toujours l'eau-de-vie
la plus jeune entrant dans
l'assemblage.
« Trois Étoiles » : armagnac
comptant au moins deux ans
de vieillissement sous bois.
« V.O. », « V.S.O.P. » ou
« Réserve » : armagnac
comptant au moins cinq ans
de vieillissement sous bois.
« Extra », « Napoléon »,
« Vieille Réserve » ou « X.O. » :
armagnac comptant au
moins six ans
de vieillissement sous bois.
« Hors d'Age » : armagnac
comptant au moins dix ans
de vieillissement sous bois.
Le millésime correspond
exclusivement à l'année de
récolte mentionnée sur
l'étiquette.*

exemple – et de visiter le musée de l'Armagnac. Bien que l'étymologie du nom de la ville – Condatomagus, le « marché de Condus » (nom d'homme gallo-romain) – n'ait rien à voir avec celle du mot anglais qui désigne le préservatif

L'armagnac

Avec ses collines aux rondeurs moelleuses, ses villages engourdis et ses horizons fondants, il donne bien le change, le pays d'Armagnac. Comment croire qu'une contrée si sereine, si policée, ait conclu un pacte avec l'eau, le feu, Dieu, les anges et le diable ? Chaque année, des alchimistes insomniaques mènent ici entre cornues et alambics un sabbat de sorciers. Et chaque année naît de leurs chaudrons une eau-de-vie céleste, la plus parfaite jamais conçue par les hommes. Les invasions ont du bon, l'armagnac en est la preuve : si les Gaulois, inventeurs du tonneau, n'avaient pas été vaincus par les Romains, point de vignes en Gascogne ; si les Arabes n'avaient pas poussé une excursion jusqu'à Poitiers, point d'alambics. Sans vigne, ni tonneau, ni alambic, point d'armagnac. C.Q.F.D. Même les Anglais s'en sont mêlés : en interdisant aux navires hollandais de remonter le Garonne pour venir charger les vins du haut pays gascon, ils ont contraint les viticulteurs à distiller une partie de leur vendange pour en assurer la conservation. Voilà de quels étranges hasards de l'histoire est né le divin breuvage.

L'armagnac est obtenu par la distillation de vins blancs issus de onze cépages, surtout l'Ugni Blanc, le Colombard, la Folle Blanche et le Baco Blanc. Elle se fait en continu dans un alambic armagnacais en cuivre pur martelé, consacré en 1818 par un brevet de Louis XVIII. Dès sa sortie de l'alambic, l'armagnac est logé dans des fûts de chêne d'une contenance de 400 à 420 litres – les « pièces » – où le bois neuf lui confère progressivement arômes et tanin.

Les chais d'armagnac Ryst-Dupeyron, à Condom.

Il est ensuite transféré dans des fûts plus âgés pour achever son vieillissement, au cours duquel il voit son degré alcoolique diminuer par une évaporation continue, la « part des anges ». Lorsque le maître de chai estime le vieillissement suffisant, il procède aux « coupes », c'est-à-dire à l'assemblage de plusieurs eaux-de-vie d'origines et d'âges différents. Elles sont vendues à 40 % volume minimum, et donc réduites par paliers successifs au moyen de « petites eaux » préparées dans le secret des chais. Toutefois, certains vieux armagnacs, le plus souvent millésimés, sont vendus à leur degré naturel de vieillissement.

123

L'écluse de Braziac.

Le cloitre de l'abbaye cistercienne de Flaran, une miraculée de l'Histoire heureusement parfaitement restaurée...

masculin, Condom a détourné avec humour cette confusion sémantique en organisant chaque année, pendant les mois d'été, une exposition sur le thème de ce mode de contraception.

C'est à Valence-sur-Baïse, à dizaine de kilomètres au sud de Condom, que la Baïse cesse d'être navigable. Une fin de voyage qui est aussi une apothéose : au pied de cette bastide fondée au XIIIᵉ siècle, qui a gardé, parmi les vestiges de ses remparts, une très belle porte fortifiée et abrite une église du XVᵉ siècle aux curieuses tours octogonales, se dresse l'abbaye de Flaran, chef-d'œuvre de l'art cistercien, au moins comparable dans sa perfection à Fontfroide ou à Sénanque. Fondée au milieu du XIIᵉ siècle par les Cisterciens, elle apparaît comme une miraculée de l'histoire : après avoir échappé à la destruction pendant la guerre de Cent Ans et les guerres de Religion, puis été vendue comme bien national à la Révolution, elle était encore il y a trente ans utilisée comme entrepôt. Admirablement res-

taurée, elle peut être aujourd'hui considérée comme l'un des plus beaux édifices religieux du midi de la France.

Avec cette remontée de la Baïse s'achève donc un long périple sur les canaux et les rivières d'Aquitaine, du Midi-Pyrénées et du Languedoc-Roussillon. Tout au long du canal du Midi, du canal de la Robine, du canal du Rhône à Sète, du canal latéral à la Garonne, du Lot et de la Baïse, nous aurons parcouru plus de 740 kilomètres, franchi 170 écluses. Et sans doute acquis la conviction que les « voies du silence » permettent de porter un tout autre regard sur quelques-unes des plus belles régions de France.

Le foie gras

Il est la cible de ces « amis des bêtes » – surtout anglo-saxons – qui voudraient le faire interdire sous prétexte que le gavage est une barbarie infligée à des oies et des canards sans défense. Soit. Mais qu'il soit cru, cuit ou mi-cuit, accompagné ou non de truffes, poêlé avec quelques grains de raisin ou deux moitiés de figue, tartiné sur une baguette fraîche ou une tranche de pain de campagne grillée, le foie gras est un tel chef-d'œuvre que l'on oublie qu'il ne s'agit, après tout, que d'un viscère rendu malade par l'ingéniosité gourmande des hommes. On peut s'en étonner, mais c'est ainsi : le foie gras n'est pas protégé par un label ou l'équivalent d'un A.O.C., et rien n'empêche de le fabriquer partout, aussi bien en Bretagne que dans les Ardennes, voire en Hongrie ou en Israël. Mais qu'on se le dise : hormis la magnifique exception alsacienne, qu'il soit d'oie ou de canard, il n'est de grand foie gras que du Sud-Ouest.

Abbaye cistercienne de Flaran. Peintures murales (xvɪ).

Bibliographie

Le Canal des Deux Mers, André Maistre, Éd. Privat, 1968.

Connaissance du canal du Midi, Arnaud d'Antin de Vaillac,
Éd. France-Empire, 1997.

Le Canal du Midi, Francis Loubatières, Éd. Loubatières, 1997.

Le Canal du Midi, Jean-Denis Bergasse et Michel Adgé, Éd. Tallandier, 1989.

Le Canal du Midi et le canal latéral à la Garonne,
Louis Destrem, Éd. du Chêne, 1996.

Canaux de France, Michel-Paul Simon, Éd. du Chêne, 1997.

Guides du Routard : Midi-Pyrénées, Languedoc-Roussillon, Éd. Hachette.

Guides Verts Michelin : *Pyrénées-Aquitaine-Côte basque, Pyrénées-Roussillon-Albigeois,
Gorges du Tarn-Cévennes-Bas-Languedoc, Périgord-Quercy, Provence.*

Remerciements

À Françoise Cabanne, C.R.T. du Midi-Pyrénées.
À Patricia de Pouzilhac, C.R.T. du Languedoc-Roussillon.
À Marie-Yvonne Holley, C.R.T. d'Aquitaine.

Aux archivistes du musée Paul-Dupuy
et de Voies Navigables de France, à Toulouse.

À Crown Blue Line,
qui nous a permis de naviguer confortablement
sur les canaux du Midi.

À Jacques Noisette, de Voies Navigables de France, 8 Port-Saint-Étienne à Toulouse.

Les Éditions Ouest-France remercient tout particulièrement
Monsieur Gilles Jérôme,
qui a bien voulu mettre à notre disposition sa collection de cartes postales.
Cartes postales des pages : 3, 7, 8 (milieu), 8 (bas gauche), 28 (haut), 28 (bas),
32, 34, 46, 72, 73, 79, 92, 99, 100 (haut), 100 (gauche) et 101.

Les coups de cœur de l'auteur...

Hôtels, hôtels-restaurants

Béziers

L'Imperator, 28 allées Paul-Riquet, tél. 04 67 49 02 25.

Cahors

Le Terminus, 5 avenue Charles de Freycinet, tél. 05 65 53 32 00.

Condom

Les Trois Lys, 38 rue Gambetta, tél. 05 62 28 33 33.

Carcassonne

Le Bristol, 7 avenue du Maréchal-Foch, tél. 04 68 25 07 24.

Castelnaudary

Hôtel du Canal, 2 ter avenue Arnault-Vidal, tél. 04 68 94 05 05.

Narbonne

La Résidence, 6 rue du 1er-Mai, tél. 04 68 32 19 41.

Sète

Le Grand Hôtel, 17 quai de Tassigny, tél. 04 67 74 71 77.

Les Terrasses du Lido, Rond-Point de l'Europe, La Corniche, tél. 04 67 51 39 60.

Saint-Cirq-Lapopie

Auberge du Sombral, place Sombral, tél 05 65 31 26 08.

Toulouse

Les Beaux-Arts, 1 place du Pont-Neuf, tél. 05 34 45 42 42.

Le Mermoz, 50 rue Matabiau, tél. 05 61 63 04 04.

Vers

La Truite Dorée, tél. 05 65 31 46 13.

Restaurants

Béziers

Le Jardin, 37 avenue Jean-Moulin, tél. 04 67 36 41 31.

Cahors

Le Rendez-Vous, 49 rue Clément-Marot, tél. 05 65 22 13 04.

Carcassonne (à 4 km)

Château Saint-Martin-Trencavel, hameau de Montredon, tél. 04 68 71 09 53.

Castelnaudary

La Belle Époque, 55 rue Général-Dejean, 04 68 23 39 72.

Marseillan

Chez Philippe, 20 rue Suffren, tél. 04 67 01 70 62.

Narbonne

Le Petit Comptoir, 4 boulevard Maréchal-Joffre, tél. 04 68 42 30 35.

Toulouse

Le Bon Vivre, 15 bis place Wilson, tél. 05 61 23 07 17.

Les Jardins de l'Opéra, 1 place du Capitole, tél. 05 61 23 07 76.

Trèbes

Le Ménestrel, Monastère des Capucins, tél. 04 68 78 85 01.

CARTOGRAPHIE P. MÉRIENNE

COMPUTER TO PLATE

© 2000 - ÉDILARGE SA, ÉDITIONS OUEST-FRANCE, RENNES

CET OUVRAGE A ÉTÉ ACHEVÉ D'IMPRIMER PAR L'IMPRIMERIE POLLINA, À LUÇON (85) - N° L42539

N° D'ÉDITEUR : 3863.05.1,5.04.07 - I.S.B.N. 978.2.7373.2475.8

DÉPÔT LÉGAL : AVRIL 2000

WWW.EDITIONSOUESTFRANCE.FR